EDAF

MADRID - MÉXICO - BUENOS AIRES - SAN JUAN - SANTIAGO

SYLVIA ABRAHAM

LECTURAS CON EL TAROT

Más de 30 tiradas diferentes para consultar sobre el amor, familia, salud, trabajo, asuntos sociales, etc.

LA TABLA DE ESMERALDA

Título del original: HOW TO USE TAROT SPREADS.

Diseño de cubierta: David Reneses

Editorial Edaf, S. A.
Jorge Juan, 30. 28001 Madrid
http://www.edaf.net
edaf@edaf.net

Edaf y Morales, S. A.
Oriente, 180, n.º 279
Colonia Moctezuma, 2da. Sec.
15530 México D.F.
http://www.edaf-y-morales.com.mx
edaf@edaf-y-morales.com.mx

Edaf del Plata, S. A.
Chile, 2222
1227 Buenos Aires, Argentina
edaf1@speedy.com.ar

Edaf Antillas, Inc.
Av. J. T. Piñero, 1594
Caparra Terrace
San Juan, P. Rico (00921-1413)
forza@coqui.net

Edaf Chile, S. A.
Huérfanos, 1178 - Of. 501
Santiago de Chile -Centro-
Chile
edafchile1@terra.cl

I.S.B.N.: 84-414-1345-2

PRINTED IN U.S.A IMPRESO EN U.S.A

IBÉRICA GRAFIC S.L.

Consigue las respuestas a tus preguntas más importantes

¿POR QUÉ pagar a alguien para que te lea las cartas del tarot cuando eres capaz de realizar por tu cuenta la lectura?

Con la orientación que encontrarás en este libro, aprenderás a leer los naipes del tarot para que respondan a tus preguntas más importantes. Elige entre más de tres docenas de tiradas desarrolladas por una lectora profesional del tarot:

- La tirada de los enamorados.
- La tirada de un nuevo empleo.
- Y muchas más, incluyendo las referentes al embarazo, el divorcio, cuestiones judiciales y profesionales.

Para tener éxito en la lectura del tarot, necesitas saber lo que indica cada carta por separado, pero también has de captar el panorama que te ofrecen los naipes y traducirlo en una exposición significativa.

Cómo tirar el tarot incluye docenas de muestras de lecturas extraídas de la práctica personal de la autora en el tarot y que te enseñan el modo de superar la confusión de las cartas hasta alcanzar la inspiración del tarot.

Índice

Págs.

Págs.

Capítulo 4

GRANDES FINANZAS

Capítulo 5

DECISIONES IMPORTANTES EN LA VIDA

Capítulo 6

EL CAMBIO

Capítulo 7

A LA BÚSQUEDA DEL CONOCIMIENTO DE SÍ MISMO

Págs.

Capítulo 8
BÚSQUEDA ESPIRITUAL

Capítulo 9
SOLO COMO DIVERSIÓN

Agradecimiento

Tras publicar mi primera obra, *How to Read the Tarot: The Key Word System*, un amigo me sugirió que escribiese un libro sobre tiradas del tarot. Afanada por entonces en otras tareas, aplacé la idea. ¡De repente, durante los primeros meses de 1995, me vi ocupada en la redacción de este texto sobre tiradas del tarot! Cuando llega el momento oportuno, todo encaja o así me parece.

Quiero agradecer a Lynnette su insistencia y su ayuda, y a Cathy que me proporcionase un sesgo diferente respecto de varias de las tiradas. Mi gratitud a Gilbert y a Phillip por su aportación, y a todos mis otros alumnos que participaron en este empeño. También deseo dar las gracias a mi hija Lee por su colaboración artística en las tiradas. Varias de estas conciernen a miembros de mi familia, a quienes persuadí para que se sometieran a las lecturas.

Confío en que este libro resultará útil a todos los lectores del tarot que quizá requieran nuevas ideas acerca de las tiradas. Para quien se inicie en la tarea y aspire a conocer el modo de proceder a la lectura, espero que también este libro atienda a sus necesidades.

Capítulo 1

Introducción al Tarot

ABUNDAN las informaciones y las conjeturas sobre los comienzos del Tarot, pero falta la prueba concluyente de sus orígenes. Muchas personas creen que el Tarot fue descubierto en el siglo XIV y se han tejido historias en torno del mismo con el fin de respaldar esta idea. Hay algo seguro: ¡El Tarot funciona! Las cartas son utilizadas desde hace siglos y eso es testimonio suficiente de su autenticidad.

Como principiante, cuantos más libros leas acerca del Tarot, mayor confianza adquirirás. Sus naipes constituyen un instrumento ideal para la meditación, y operando con las cartas de esta manera descubrirás nuevas informaciones que no hallarás en los libros.

Las páginas que siguen aportan unos breves bocetos sobre los significados del derecho y del revés de cada carta, basadas en un sistema que desarrollé en mi libro *How to Read the Tarot: The Key Word System*. Algunos lectores prefieren utilizar los naipes solo en sus significados del derecho. ¡Si funciona para ellos, magnífico! En el caso de que quieras emplear los naipes del revés en tu lectura, corta el mazo en dos partes, vuelve una en la dirección opuesta y baraja juntas ambas. Ten fe: las cartas operan tanto del derecho como del revés. Disfruta con las tiradas y asegúrate de probar la tirada de la Lotería Mágica. ¡Quién sabe, podrías ganar!

PREPARACIÓN DE UNA LECTURA

La lectura de las tiradas del Tarot resulta fácil. Sigue las instrucciones esbozadas a continuación para realizar una lectura positiva del Tarot:

- Selecciona un tipo de tirada que se ajuste mejor a las circunstancias que el interrogador (la persona para quien realizas la lectura) desee examinar en la operación.
- Haz que el interrogador baraje las cartas del Tarot. Pídele que formule un deseo y que se concentre en su petición. Si así lo prefiere, puede cortar el mazo.
- Extiende las cartas de acuerdo con el formato de la tirada seleccionada.
- Examina la tirada y busca elementos repetidos:

¿Cuántos bastos aparecen?
¿Cuántas copas?
¿Cuántos oros?
¿Cuántas espadas?

- Fíjate en el número de cada carta y advierte si están repetidos los de algunas.
- ¿Hay muchos Arcanos Mayores o Naipes de la Corte? En ese caso, son también numerosas las personas implicadas en la vida del interrogador.
- Lee las cartas del derecho o del revés, en función del modo en que hayan aparecido en la tirada. Algunos lectores prefieren utilizar los naipes solo en sus significados del derecho. ¡Si funciona para ellos, magnífico!
- Trata de concluir la lectura con una nota positiva, pero muestra tanta sinceridad como te sea posible.
- No leas demasiadas tiradas para la misma persona en un solo día; eso creará confusión en su mente. Di a ese individuo que debe aguardar una semana antes de que procedas a una nueva lectura.

Nota: Si algunas cartas caen fuera del mazo cuando es barajado, léelas también. Todos esos naipes contienen información relativa al interrogador. Examina asimismo la carta inferior de la baraja una vez que hayas realizado la tirada; allí hay también un mensaje.

Lectores bisoños del Tarot: Lee primero el libro y prueba luego tu destreza en la lectura de tiradas. La experiencia es la mejor maestra y la lectura para otros perfecciona tu talento y promueve tu intuición. Confía siempre en ti mismo.

El lector tiene respecto del cliente una obligación que no debe ser tomada a la ligera. Muéstrate responsable con la información y que tengas suerte.

EL TAROT

Arcanos Mayores y Menores

EL LOCO 0

Palabra clave: *TODO EL MUNDO.*

Del derecho: Deseo de nuevas experiencias y aventuras. Necesidad de cautela. Ten cuidado por dónde vas.

Del revés: Falta de confianza. Asume la responsabilidad de tus acciones. Frena la ansiedad, líbrate de temores.

EL MAGO I

Palabra clave: QUIERO.

Del derecho: Tendré nuevos comienzos en muchas direcciones. Potencial para dirigir. Nuevo desarrollo.

Del revés: Por el momento, carencia de nuevos comienzos. Falta de ambición o de impulso. Intensa concentración sexual.

Los cuatro ases poseen la misma palabra clave que EL MAGO: QUIERO.

AS DE BASTOS

Del derecho: Tendré nuevos comienzos en mi trabajo y en mi vida social. Nuevas oportunidades. Un nacimiento.

Del revés: Careceré de nuevos comienzos en mi trabajo o en mi vida social. Aplazamiento de viajes. Cancelación de planes.

AS DE COPAS

Del derecho: Tendré nuevos comienzos en relaciones amorosas. Nueva residencia. Felicidad. Exaltación emocional. Paz y buena salud.

Del revés: Careceré de nuevos comienzos en el amor. Inestabilidad emocional. Pérdida. Separación.

AS DE OROS

Del derecho: Tendré nuevos comienzos con el dinero. Prosperidad. Herencia. Aumento de sueldo.

Del revés: Careceré de nuevos comienzos con el dinero. Sombría perspectiva económica. Codicia. Celos.

AS DE ESPADAS

Del derecho: Tendré nuevos comienzos en problemas y trastornos. Pérdida. Posibilidad de una operación.

Del revés: Careceré de nuevos comienzos en problemas y trastornos. Eliminar viejas ideas. Tener confianza.

LA SUMA SACERDOTISA II

Palabra clave: CONOZCO.

Del derecho: Sé acerca del mundo y de su dualidad. Memoria, razón, secretos y el subconsciente.

Del revés: Desconozco el mundo. Estrechez de miras. Carencia de destreza. Interesado, miedoso, egoísta.

Los cuatro doses poseen la misma palabra clave que LA SUMA SACERDOTISA: CONOZCO.

DOS DE BASTOS

Del derecho: Conozco mi trabajo y mis actividades sociales. Tener el mundo en la mano. Éxito en los negocios. Confianza.

Del revés: Desconozco mi trabajo o mi lugar en la sociedad. Acciones desequilibradas, miedo al fracaso. Ausencia de destrezas.

DOS DE COPAS

Del derecho: Conozco acerca del amor y de las emociones. Una buena relación es emocionalmente sana. Nacimiento. Acontecimientos felices.

Del revés: Nada sé del amor. Emociones infortunadas. Problemas sexuales. Pérdidas o separación. Cuestiones relacionadas con la salud.

DOS DE OROS

Del derecho: Conozco cómo equilibrar mi dinero. Ganancia económica. Los presupuestos funcionan. Orientación hacia la prosperidad. Buena salud.

Del revés: No sé cómo manejar el dinero. Prodigalidad. Depresión por motivos económicos. Orientación hacia la pobreza.

DOS DE ESPADAS

Del derecho: Conozco mis problemas y preocupaciones y no deseo verlos. Temor a resultar herido. Pensamiento confuso.

Del revés: Ignoro mis problemas y preocupaciones y no deseo verlos. Pensamientos ilusorios. Miedo a los nuevos conocimientos.

LA EMPERATRIZ III

Palabra clave: HAGO.

Del derecho: Realizo mis experiencias. Creo mi felicidad, mi disfrute. Posibilidad de embarazo. Podría representar a mi madre o a una mujer mayor.

Del revés: No me hago feliz. No utilizo mis talentos creativos. Problemas con mi madre o con otras mujeres. Nada de embarazo. Falta de confianza.

Los cuatro treses poseen la misma palabra clave que LA EMPERATRIZ: HAGO.

TRES DE BASTOS

Del derecho: Hago mi trabajo y mi vida social. Visualización creativa de una nueva tarea y socialmente una buena época.

Del revés: No desempeño mi trabajo o mis actividades sociales. Carencia de fe en las capacidades personales. Infelicidad.

TRES DE COPAS

Del derecho: Logro ser feliz haciendo lo que me gusta. En magnífica situación con los amigos. Embarazo. Matrimonio.

Del revés: No logro ser feliz en el amor. Un agotamiento emocional. Aborto. Problemas con el alcohol o las drogas. Soledad.

TRES DE OROS

Del derecho: Gano dinero. Soy un auténtico maestro. Los talentos creativos aportan recompensas económicas.

Del revés: No hago dinero. Sobrecalificado o infrapagado en mi trabajo. La salud y el dinero constituyen problemas.

TRES DE ESPADAS

Del derecho: Creo mis problemas y trastornos. Un triángulo amoroso. Derramamiento de lágrimas. Separación o divorcio.

Del revés: No soy la causa de mis problemas o preocupaciones. Rival. Sensación de haber recibido una puñalada por la espalda. Engaño.

EL EMPERADOR IV

Palabra clave: COMPRENDO.

Del derecho: Entiendo que soy el jefe, el líder y el iniciador. Soy original. Soy una figura paternal. Acción, equilibrio, estabilidad y poder.

Del revés: No comprendo quién soy. Carencia de autoridad. Inmadurez. Inexperiencia e inestabilidad.

Los cuatro cuatros poseen la misma palabra clave que EL EMPERADOR: COMPRENDO.

CUATRO DE BASTOS

Del derecho: Comprendo mi trabajo y mis actividades sociales. Equilibrio entre el trabajo y la situación en el hogar. Matrimonio.

Del revés: No comprendo los desequilibrios en mi ambiente del hogar o del trabajo. Falta de prosperidad. No es una época fructífera.

CUATRO DE COPAS

Del derecho: Comprendo el amor y las experiencias emocionales del pasado. Viejos hábitos impiden que me implique en nuevas relaciones.

Del revés: No comprendo que mis emociones me agoten. Decepción en el amor. Sensación de ser objeto de rechazo. Alguna pérdida. Relación rota.

CUATRO DE OROS

Del derecho: Comprendo el valor del dinero. Avaricia. Venta de propiedades. Fe en las posesiones materiales.

Del revés: No comprendo el valor del dinero. Prodigalidad. Juego. Una necesidad de equilibrar el presupuesto.

CUATRO DE ESPADAS

Del derecho: Comprendo mis problemas y trastornos. Descanso tras un conflicto. Necesito fe para superar las luchas.

Del revés: No comprendo mis problemas y preocupaciones. Trabajo excesivo. Cuestiones de salud.

EL SUMO SACERDOTE V

Palabra clave: CREO.

Del derecho: Creo en mi ser superior. Me molesta la autoridad o el control de otros. Necesidad de meditar. Guía interior.

Del revés: No creo en un maestro interior. Complaciente, buscador de placeres y materialista.

Los cuatro cincos poseen la misma palabra clave que EL SUMO SACERDOTE: CREO.

CINCO DE BASTOS

Del derecho: Creo en mi trabajo y en mis actividades sociales. Creo en mis ideas, en mi voluntad y en mi ego sobre otros.

Del revés: No creo en el trabajo o en la sociedad. Ausencia de armonía. Escasa fe en mis propias capacidades o en mi ego.

CINCO DE COPAS

Del derecho: Creo en el amor, pero temo comprometerme. Lamentaciones por lo que ya no tiene remedio. Ruptura de una relación amorosa.

Del revés: No creo en el amor o en una relación romántica. Una crisis emocional. Divorcio o separación. Muerte.

CINCO DE OROS

Del derecho: Creo en el dinero, es mi dios. Desempleo. Idas que paralizan. Drogas. Orientación hacia la pobreza.

Del revés: No creo que el dinero sea mi dios. Un nuevo empleo o trabajo que resulta más difícil. Busca tu propia guía interior.

CINCO DE ESPADAS

Del derecho: Creo en problemas y trastornos. Victoria huera. Pérdida de amistades por obra de la crueldad.

Del revés: No creo en problemas o trastornos para mí o para otros. Búsqueda de un equilibrio mental.

LOS ENAMORADOS VI

Palabra clave: ELIJO.

Del derecho: Elijo mi vida. Búsqueda de las respuestas de un ser superior. Conocer lo positivo y lo negativo en la vida. Un viaje o un acontecimiento social.

Del revés: Otras personas eligen por mí. Demora en un compromiso nupcial o en el matrimonio. Poca confianza en ti mismo.

Los cuatro seises poseen la misma palabra clave que LOS ENAMORADOS: ELIJO.

SEIS DE BASTOS

Del derecho: Elijo en mi trabajo y mis actividades sociales. ¡Victoria! Empleo adecuado del ego y de la voluntad.

Del revés: No elijo en el trabajo o en la vida social. Las tentaciones vencen al sentido común. Demoras.

SEIS DE COPAS

Del derecho: Elijo en mis relaciones amorosas. Opto por controlar mis emociones. Potencial para vivir en el pasado o regreso de alguien del pretérito. Relación amorosa o matrimonio nuevo.

Del revés: Otros toman las decisiones por mí. Una situación emocionalmente agotadora. Pérdida. Divorcio. Problemas de salud.

SEIS DE OROS

Del derecho: Elijo respecto de mi dinero. Deseo de ser justo y de compartir recursos. Ayuda a otros.

Del revés: No elijo respecto de mi dinero. Orientación hacia la pobreza. Falta de caridad. Cuestiones de salud.

SEIS DE ESPADAS

Del derecho: Elijo mis problemas y preocupaciones. Siento la tentación de escapar en vez de enfrentarme con las dificultades.

Del revés: No tengo opción alguna respecto de mis problemas y trastornos. Debo hacer frente a la situación. Ningún viaje en esta época.

EL CARRO VII

Palabras claves: LA VÍA.

Del derecho: La vía mental me conducirá a la victoria. Controlo mis sentidos a través de la mente. El Auriga es mi ser superior y confío en él.

Del revés: Vía errónea. Concentración en el aspecto material, no en el mental. Autocomplacencia. Testarudez.

Los cuatro sietes poseen las mismas palabras claves que EL CARRO: LA VÍA.

SIETE DE BASTOS

Del derecho: Sigo la vía mental en mi trabajo y en mi vida social. Éxito y victoria en los negocios. Sentimiento de superioridad en el trabajo. Nuevas ideas. Solitario.

Del revés: Ninguna victoria en el trabajo o en la vida social. Impresión de inferioridad o de incompetencia. Deseos materiales. Drogas.

SIETE DE COPAS

Del derecho: Victoria conseguida en el amor. Visualización creativa frente a ensoñaciones. Control mental sobre las emociones. El alcohol o las drogas no son positivos.

Del revés: Derrota a través del amor y de necesidades emocionales. Pérdida o separación. Confianza o fe escasas en mí mismo.

SIETE DE OROS

Del derecho: La vía del dinero conduce a la victoria. Responsabilidades económicas. Orientación hacia la prosperidad. Confianza.

Del revés: Vía confusa hacia el dinero. Orientación hacia la pobreza. Escaso sentido del dinero. Salud afectada por los sentimientos negativos.

SIETE DE ESPADAS

Del derecho: La vía conduce a problemas y preocupaciones. Situación temporal. Sentimiento de ser engañado o alguna pérdida.

Del revés: Vía de problemas y trastornos no mentalmente clara. Celos. Una relación desgraciada. La situación no ha sido superada por ahora.

FUERZA VIII

Palabra clave: FUERZA.

Del derecho: Poseer la fortaleza para superar cualesquiera dificultades. Valor y resistencia. Creativo. Control sobre los deseos.

Del revés: Carencia de fortaleza. Escaso control de sí mismo. Egoísta y vano. No merecedor de confianza. Vacío.

Los cuatro ochos poseen la misma palabra clave que FUERZA: FUERZA.

OCHO DE BASTOS

Del derecho: Poseo la fuerza para realizar mi trabajo e implicarme en mi vida social. Mensajes respecto del trabajo. Viaje profesional o de placer.

Del revés: Carencia de fortaleza en el trabajo o en las actividades sociales. Demoras y frustraciones. No hay viajes proyectados.

OCHO DE COPAS

Del derecho: Poseo fuerza en el amor y en las emociones. Búsqueda de valores espirituales. Volver la espalda a las tentaciones. Abandono de experiencias pasadas.

Del revés: Carencia de fuerza en el amor y en las emociones. Agotamiento emocional por culpa de una pérdida, una separación o un divorcio.

OCHO DE OROS

Del derecho: Posesión de la fuerza para hacer dinero. Aprendizaje. Conocer nuevas destrezas. Mayor confianza.

Del revés: Carencia de fuerza para aguardar el dinero. Deseo de conseguir ingresos rápidos. Actividades delictivas. Repulsión al trabajo de firme.

OCHO DE ESPADAS

Del derecho: Posesión de fortaleza para abordar problemas y dificultades. Sometimiento. Terreno inseguro. Posibilidad de problemas relacionados con la salud.

Del revés: Falta de fuerza para manejar dificultades o problemas. Sensación de inseguridad en medio del caos. Prescinde ahora de situaciones insanas.

EL ERMITAÑO IX

Palabras claves: SABIDURÍA A TRAVÉS DE LA EXPERIENCIA.

Del derecho: Empleo positivo de la sabiduría de mis experiencias. Maestro interior. Nuevas lecciones en mi existencia. Encuentro con una persona de más edad.

Del revés: Carencia de sabiduría a través de mis experiencias. Egoísta e intolerante. Inhibiciones sexuales. Miedo.

Los cuatro nueves poseen las mismas palabras claves que EL ERMITAÑO: SABIDURÍA A TRAVÉS DE LA EXPERIENCIA.

NUEVE DE BASTOS

Del derecho: Empleo de la sabiduría en el trabajo y socialmente. Capacidad para proyectarse a través del saber en los negocios o en las relaciones. Empleo de tácticas justas en el trabajo.

Del revés: Carencia de sabiduría o de experiencias en el trabajo o socialmente. Susceptible a la explotación de elementos exteriores.

NUEVE DE COPAS

Del derecho: ¡La carta del deseo! Si aparece, lo conseguirás. Sabiduría a través de la experiencia en el amor y en las emociones.

Del revés: Por ahora no lograrás tu deseo. Agotamiento emocional. Carencia de sabiduría. Pérdida o separación.

NUEVE DE OROS

Del derecho: Sabiduría a través de la experiencia con el dinero. Independencia. Herencia. Existencia sana.

Del revés: Falta de sabiduría a través de la experiencia con el dinero. Deseo de conseguir ingresos rápidos. La dependencia suscita depresión. Prodigalidad.

NUEVE DE ESPADAS

Del derecho: Las experiencias en problemas y dificultades aportan sabiduría. Desesperación. Un periodo de crisis. Pérdida. Enfermedad.

Del revés: Las experiencias no han aportado sabiduría o comprensión. Es posible que empeoren los problemas y las dificultades. Escasa confianza. Ten fe.

LA RUEDA DE LA FORTUNA X

Palabras claves: CAMBIOS Y NUEVOS CICLOS.

Del derecho: Tiempo para realizar cambios, correr un riesgo o hacer planes de viaje. Posibilidad de matrimonio.

Del revés: Ahora no se operan cambios. El ciclo no está concluido. Ten cuidado con tu salud y tu dieta.

Los cuatro dieces poseen las mismas palabras claves que LA RUEDA DE LA FORTUNA: CAMBIOS Y NUEVOS CICLOS.

DIEZ DE BASTOS

Del derecho: Grandes cambios en el trabajo o socialmente. Desembarazarse de cargas. Nuevos métodos en los negocios. Viaje.

Del revés: Ningún cambio por el momento. No te arriesgues. Los obstáculos son frustrantes. Problemas anteriores.

DIEZ DE COPAS

Del derecho: Cambios en el amor y en las emociones. Nuevo ciclo en las relaciones familiares. Un desplazamiento o un viaje corto.

Del revés: Agotamiento emocional por razones familiares. El desenfreno determina mala salud. Pérdida, separación o divorcio. Infelicidad.

DIEZ DE OROS

Del derecho: Grandes cambios económicos. Nueva casa, nuevo empleo o herencia. Éxito en cuestiones relacionadas con el dinero.

Del revés: Ningún cambio económico. Mala suerte con el dinero. Unas personas mayores pueden constituir una carga.

DIEZ DE ESPADAS

Del derecho: Grandes cambios en problemas y dificultades. Es posible liberarse de las cargas. Alivio de problemas previos. Quizá esté acabando el ciclo de negatividad.

Del revés: Ningún cambio en problemas y dificultades. Se requiere valor para enfrentarse con los obstáculos. La situación no es tan negativa como parece.

JUSTICIA XI

Palabras claves: JUSTICIA, EQUILIBRIO.

Del derecho: Equilibrio, ley, armonía, karma e imparcialidad. Búsqueda de la justicia en los negocios o personalmente. Un proceso con resultado favorable. Posibilidad de matrimonio.

Del revés: Complicaciones legales por culpa de la ira y de las hostilidades. Prejuicio en las opiniones. El exceso de confianza puede conducir al fracaso. Depresión. Consecuencias en la salud.

EL AHORCADO XII

Palabras claves: SACRIFICIO, INVERSIÓN.

Del derecho: Sacrificado a la voluntad y a los deseos de otros. Sometimiento a unas opiniones personales. Pruebas y obligaciones en relación con la familia. Conserva los pies en el suelo. Medita.

Del revés: Dilación. Engañado por otros. Escasa o nula confianza en un poder superior. Empleo de las drogas o del alcohol como vía de escape. Iluso.

LA MUERTE XIII

Palabra clave: TRANSFORMACIÓN.

Del derecho: Final de una situación. Cambio a mejor. Son sanos los planes para el futuro y las nuevas ideas. El dinero llega hasta ti. Muéstrate receptivo al amor. Iluminación.

Del revés: Estancamiento. Frustración e infelicidad. Ninguna transformación. Amor perdido. Celos, ira y resentimiento pueden afectar a la salud.

TEMPLANZA XIV

Palabras claves: MODERACIÓN, PRUEBAS, TENTATIVAS.

Del derecho: Empleo positivo de las energías, control de sí mismo y armonía. Confianza como guía en el ser íntimo. Paciencia durante experiencias difíciles. Medita.

Del revés: Autocomplacencia, inquietud y escaso control sobre las emociones. Empleo negativo de la energía sexual. Ignorancia de leyes superiores y fe escasa.

EL DIABLO XV

Palabras claves: MATERIALISMO Y ENGAÑO.

Del derecho: Sometido al mundo por codicia física y material. Deseo de éxito social. Aceptación a cualquier precio. Despilfarro de la energía creativa en los placeres.

Del revés: Menos egoísmo o codicia. Anhelo de alzar el velo de la ilusión. Reconocimiento de la responsabilidad por unas acciones. Cambio de dieta para mejorar la salud.

LA TORRE XVI

Palabra clave: CATÁSTROFE.

Del derecho: Abandono de falsas ideas. Prescindir de antiguos hábitos. Conflicto y discordia en las relaciones. Abstente de las expresiones y de los juicios críticos para conocer una vida más feliz.

Del revés: Negativa a prescindir de antiguos hábitos. Las necesidades sexuales, el resentimiento y los celos son causa de catástrofes.

LA ESTRELLA XVII

Palabras claves: DESCUBRIMIENTO Y ASPIRACIÓN.

Del derecho: Fe y confianza en la vida. Fijación de nuevos objetivos. Otras oportunidades. Optimismo. Empleo de destrezas.

Del revés: Pesimismo respecto de las alteraciones profesionales, las relaciones y la vida en general. Ninguna fijación de objetivos para el futuro. Importancia de la salud. Escasa estimación de sí mismo.

LA LUNA XVIII

Palabra clave: LOGRO.

Del derecho: Engaño e ilusión respecto de los logros personales. Está garantizado un ascenso lento pero firme hacia la iluminación. Superación de los temores a recuerdos subconscientes. Destreza psíquica. Una persona puede ser víctima de otras.

Del revés: Depresión por culpa de la demora en unos planes. Sensación de haber sido traicionado. Acciones inconscientes. No ver u oír la verdad.

EL SOL XIX

Palabra clave: RENOVACIÓN.

Del derecho: Búsqueda de la verdad y de la felicidad. Nueva tarea en ciencias o en matemáticas. Abierto a nuevas ideas. Confianza en sí mismo. Optimismo y valor.

Del revés: Ausencia de valor o de confianza. Las necesidades sexuales constituyen una cuestión vital. La deshonestidad crea discordia. Pérdida de la confianza de otros. Ostentación.

EL JUICIO XX

Palabra clave: CONCIENCIA.

Del derecho: Fe en un íntimo poder superior. Un nuevo conocimiento aporta alegría y felicidad. Rechazo a las opiniones tradicionales. Cambio de residencia, nueva posición o carrera. Mejoría de la salud.

Del revés: Enfoque materialista de la vida. Fe ciega y juicio erróneo. Visión de túnel. Pérdida o separación de la familia. Aumentan los problemas de la salud.

EL MUNDO XXI

Palabras claves: CONCIENCIA CÓSMICA.

Del derecho: Éxito en todos los empeños. Logro de objetivos. Un largo viaje revela ser beneficioso. Un nuevo empleo, un cambio de carrera o una alteración. Sentimientos respaldados por recursos íntimos. Victoria. Equilibrio.

Del revés: Ningún éxito ni ganancia material. Planes demorados o frustrados. Carencia de visión o de un sentido de la realidad. Miedo al cambio o a lo desconocido. Escaso desarrollo mental.

CARTAS DE LA CORTE

Hay dieciséis naipes de la Corte. Estas cartas se refieren a personas en tu existencia y pueden señalar a una relación, a miembros de tu familia, compañeros de trabajo o parientes más lejanos. También es posible que denoten «ideas» que se encuentran en tus pensamientos. Si el último naipe en una tirada es una carta de la Corte, tal vez indique que alguien debe de adoptar por ti la decisión final.

REYES

Treinta y cinco o más años. Los reyes significan una figura paternal, autoridad, sabiduría y experiencia.

REINAS

Treinta y cinco o más años. Las reinas significan una imagen maternal. Es una figura de autoridad y denota madurez, solicitud y comprensión.

Nota: Cuando un rey o una reina aparece del revés en una tirada, la carta puede representar a una persona negativa. El rey del revés, asimismo, indicará quizá a una mujer del correspondiente signo astrológico del naipe (positivo o negativo). Es posible que la reina invertida represente a un varón del signo específico de ese naipe (positivo o negativo).

CABALLOS

De veinticinco a cuarenta años. Los caballos son mensajeros. Cuando la carta está del derecho, alude a un varón o a un mensaje positivo. El caballo de espadas del derecho constituye la excepción y su mensaje no suele ser agradable. Este naipe del revés indicará a una mujer de ese signo astrológico específico.

SOTAS

De uno a veinticinco años. Las sotas representan a menores en diversas etapas de desarrollo e inexperiencia. Pueden indicar mensajeros, escolares, adultos jóvenes y problemas emparejados. En ocasiones, cabe la posibilidad de que una sota del derecho represente a un varón y del revés a una mujer. En la lectura a veces resulta difícil preguntar: «¿Tiene usted un hijo o una hija?». A veces la sota denota a un chico afeminado o a una chica muy masculina. ¡Las sotas pueden ser engañosas!

Significados adivinatorios

REY DE BASTOS

Del derecho: Este rey es independiente, influyente y una figura de autoridad. Ambicioso, con talentos de ejecutivo y cualidades para el mando. Posee buenas ideas. Representa un tipo Aries.

Del revés: Este rey es pueril, dependiente y revela actitudes antisociales. Puede ser egoísta y dominante, un pequeño tirano.

REY DE COPAS

Del derecho: Este rey es una persona emotiva, cariñosa, atenta y solícita. Buen padre de familia una vez casado. Necesita sentirse seguro en su vida profesional y personal. Representa un tipo Cáncer.

Del revés: Este rey se revela frío, desatento y nada solícito. Tal vez no merezca confianza en los negocios o con las relaciones. Es posible que se muestre implacable y calculador.

REY DE OROS

Del derecho: Este rey es un buen consejero económico, práctico y merecedor de confianza. Bueno en los negocios, la banca y las ventas. Representa un tipo Tauro.

Del revés: Este rey es egoísta, perezoso, un especulador y carece de sentido práctico. Gusta del lujo, se revela sensual y desea el placer. Puede ser deshonesto y quizá resulten peculiares sus juicios de valor.

REY DE ESPADAS

Del derecho: Este rey es un profesional, un jurisperito o un militar. Cabe la eventualidad de que el naipe señale también la necesidad de un abogado que oriente al interrogador. Posee destreza mental y constituye un buen consejero con una gran energía nerviosa. Representa un tipo géminis.

Del revés: Este rey es voluble y superficial. Disipa sus energías. Carece de amabilidad y se muestra chismoso e inestable. Se rebela contra la autoridad. Pérdida potencial en un proceso judicial.

REINA DE BASTOS

Del derecho: La reina desea el éxito en el trabajo y en su vida social. Es una figura de autoridad, ambiciosa e impulsada por su ego. Necesita admiración y atención. Mujer del tipo Leo.

Del revés: Esta reina es dominante, exigente y se manifiesta deseosa de controlar en el trabajo y en situaciones sociales. Falta de cariño y de humor, posee un enorme ego. Puede ser implacable.

REINA DE COPAS

Del derecho: Esta reina habla de amor y de sus necesidades emocionales. Buena esposa y madre, muy protectora de su familia. El sexo tiene importancia para su bienestar. Mujer del tipo Escorpio.

Del revés: Esta reina es deshonesta en el amor. Sus emociones se hallan agotadas en razón de una pérdida, una separación o cualquier otro acontecimiento negativo. Posee un temperamento terrible, gusta de la intriga y es posible que sienta celos de otras personas. Potencial de infidelidad.

REINA DE OROS

Del derecho: Hacer dinero constituye la obsesión de esta reina. Idealista y perfeccionista. Revela asimismo opiniones críticas. Este es el momento de la cosecha tras un duro trabajo. Se ocupa de cuestiones relacionadas con la salud. Potencial para el embarazo. Regalos de la familia. Concentración sexual. Mujer del tipo Virgo.

Del revés: Esta reina es derrochadora y perezosa. Representa una amiga superficial, carece de confianza y critica a los demás. Se siente imperfecta y limita su prosperidad. Concentración física y material.

REINA DE ESPADAS

Del derecho: Problemas y dificultades reclaman la atención de esta reina. Representa a una divorciada o a una viuda. Muestra una voluntad fuerte, una lengua afilada y un gran temperamento. Desea una relación. Es posible que haya de hacer frente a problemas legales. Debe tomar decisiones. Mujer del tipo Libra.

Del revés: Esta reina padece problemas y dificultades, pero no desea verlos. Teme el divorcio o la separación. Sus necesidades sexuales la empujan hacia una relación. No siempre es sincera u honesta.

CABALLO DE BASTOS

Del derecho: Este mensajero aporta información respecto del trabajo y de las actividades sociales. Buenas noticias concernientes al empleo, la planificación de un viaje o un cambio de residencia. Nuevos intereses, anuncios agradables. Energía del tipo Leo. Tiempo para destacar.

Del revés: El mensajero no llega o las noticias no son positivas. Algunas demoras causan frustración y depresión. No se cumplen las expectativas.

CABALLO DE COPAS

Del derecho: Mensajes positivos en lo que concierne al amor y a las necesidades emocionales. Aporta nueva información acerca de un nacimiento, una invitación a una fiesta o a una boda. Es cariñoso, sexual y amante de los placeres sensuales. Energía del tipo Escorpio. Planes de viajes.

Del revés: No llegan mensajes concernientes al amor. No se reciben invitaciones, participaciones de bodas o anuncios de nacimientos. Un agotamiento emocional que implica las relaciones, amistades o a la familia. Alguna pérdida o separación.

CABALLO DE OROS

Del derecho: Se reciben mensajes relativos a las finanzas. Buenas noticias acerca de una herencia, una propiedad inmobiliaria u otros bienes. Muestra buena salud y vitalidad. Disfruta de posesiones materiales y de placeres sensuales. Siente muchos deseos. Energía del tipo tauro. Dinero utilizado en los buenos tiempos.

Del revés: No llegan mensajes acerca del dinero o no son positivos. Ausencia de bienestar económico. Demoras. Orientación hacia la pobreza. El hecho de ser perezoso, complaciente consigo mismo y de estar obsesionado por el sexo determina experiencias negativas en su existencia.

CABALLO DE ESPADAS

Del derecho: Este mensajero aporta noticias de problemas y dificultades. Es posible que los mensajes se hallen personalmente relacionados contigo o con otros próximos a ti. El comunicado da muestras de rabia, ira y frustración. La agresión mental tal vez origine problemas físicos. Energía del tipo Acuario. Piensa positivamente.

Del revés: Quizá se hayan extraviado mensajes sobre problemas o dificultades. No han llegado mensajes referentes a invitaciones, participaciones de bodas o anuncios de nacimientos. Planes de viaje. El caballo es de miras estrechas y poco de fiar. Carece de discriminación al tratar con otros. Acusaciones desmesuradas. Puede que la concentración sea más física que mental. Alguna pérdida o una separación. Este caballo se refiere al plano «mental» y cabe que se desmelene y excite, pero con resultado muy escaso. Puede significar que «todo se quede en palabras sin ninguna acción».

SOTA DE BASTOS

Del derecho: Ansiedad por experimentar el trabajo y la vida social. Desea la libertad y es obstinado. Se trata de un nómada. Posee grandes expectativas y alguna suerte de los dioses. Los viajes, las personas extranjeras y la filosofía constituyen algunas de sus necesidades. Energía del tipo sagitario.

Del revés: Puede que sea perezoso e inmoral y que se niegue a trabajar. Quizá se trate de alguien voluble, infiel, cruel y extravagante. Tal vez se revele chismoso y traicione confidencias.

SOTA DE COPAS

Del derecho: Se refiere al amor y a las emociones. Él o ella posee capacidades psíquicas y creatividad. Puede que cure a otros. Aporta buenas noticias concernientes a las relaciones amorosas, las fiestas, los matrimonios y los nacimientos. Energía del tipo Piscis.

Del revés: A esta sota acompañan una falta de amor y un desgaste emocional. Posee grandes expectativas que quizá no se cumplan. Malas noticias con respecto a una relación. Potencial para la explotación emocional. Carencia del empleo de talentos creativos.

SOTA DE OROS

Del derecho: Desea dinero. Esta es la carta del estudioso. Pretende una seguridad económica para emprender una carrera, convertirse en un profesional y llegar a la cima. Ambicioso, materialista y tradicional. Aspira a ganar. Energía del tipo Capricornio. La educación ayudará.

Del revés: No se interesa por el trabajo o la escuela y no se fijará objetivos. Perezoso, egoísta, codicioso y anhelante de una vida fácil. Los mensajes que aporta no son positivos y es posible que se refieran a cuestiones de la salud.

SOTA DE ESPADAS

Del derecho: Se refiere a problemas y dificultades. Él o ella desea experiencias nuevas y distintas. Nuevos conocimientos y muchas amistades. Abierto, ingenuo y exento de convencionalismos. Esta persona se halla motivada por su preocupación por otros. Energía del tipo Acuario. Ten conciencia de ti mismo.

Del revés: Le llueven los problemas y las dificultades por culpa de su falta de atención. Quizá no le importen demasiado las amistades y las relaciones. Propenso a mostrarse ansioso, introvertido y paranoico.

INFORMACIÓN ADICIONAL

A continuación figuran algunos datos adicionales relativos a las correspondencias de las cartas del Tarot y que pueden resultar útiles en las lecturas.

Cabe aplicar la información del cuadro siguiente al último naipe de la tirada para que te permita decir al interrogador cuándo tendrá lugar un acontecimiento. Un lector debe tener una cierta idea acerca de la amplitud efectiva de la información. La obtenida en una lectura típica tal vez resulte válida para un mes, para un año o respecto de toda una existencia. La información se convierte en parte del pensamiento del interrogador y este rara vez olvida aquello que —positivo o negativo— le haya dicho un lector.

SÍMBOLO	TIEMPO	ESTACIONES	ELEMENTO
Bastos	Semanas	Primavera	Fuego
Copas	Días	Verano	Agua
Oros	Años	Invierno	Tierra
Espadas	Meses	Otoño	Aire

SIGNOS ASTROLÓGICOS

Existen muchos buenos libros sobre astrología, y un mayor conocimiento de los signos puede ahondar tu saber respecto de las cartas. Quizá revele también a una cierta persona que penetra en la existencia del interrogador o la abandona. Lo que sigue es una descripción simple de los rasgos de cada signo y de sus correspondencias dentro de los palos del Tarot.

Correspondencias del Zodiaco:

Bastos:	Aries, Leo, Sagitario
Copas:	Cáncer, Escorpio, Piscis
Oros:	Tauro, Virgo, Capricornio
Espadas:	Géminis, Libra, Acuario

Aries: Este es un signo de fuego que significa «acción y energía». Tales personas se hallan siempre en marcha. Insisten en realizar cambios. Pueden ser pueriles, independientes, animosas y tener quizá dotes de mando.

Tauro: Este es un signo de tierra que se refiere al materialismo, el predominio de lo físico y la inercia. Tales personas pueden trabajar, ganar su sustento diario y disfrutar de los frutos de su actividad. Pero es asimismo posible que sean perezosas, imperturbables, testarudas y en exceso complacientes consigo mismas.

Géminis: Este es un signo de aire, con carácter mental. Tales personas son pensadoras, dadas a la ensoñación, superficiales y encantadoras. Se revelan embaucadoras, no siempre con un motivo y gustan de charlar acerca de cualquier tema.

Cáncer: Este es un signo de agua referido a emociones, intuición, solicitud, sensibilidad y atención. Tales personas reciben la denominación de madres de la tierra. Gustan de la vida hogareña, la propiedad inmobiliaria y la seguridad.

Leo: Este es un signo de fuego que indica energía y acción. Tales personas desean ser el centro del interés, los aplausos y la atención. Alientan grandes expectativas y suelen quedar decepcionadas. Este constituye un signo del ego y es considerado como el más fuerte del Zodiaco.

Virgo: Este es un signo de tierra, físico, material y tenaz. Tales personas representan a los trabajadores del Zodiaco. Abordan también cuestiones relacionadas con la salud. Se muestran críticas, formulan juicios y aparecen como perfeccionistas. Buscan siempre fallos en el trabajo y con frecuencia les decepcionan otros individuos.

Libra: Este es un signo de aire, mental. Tales personas buscan igualdad, justicia, amigos y amantes. Tienden a hallarse enamoradas del amor. Rara vez encuentran lo que pretenden porque carecen de equilibrio en su propia existencia. No tratan a los demás con igualdad ni con justicia. Son creativas.

Escorpio: Este es un signo de agua, intenso, posesivo, celoso, sexual y vengativo. Tales personas sienten de un modo intenso y se muestran sensibles y emotivas. Disfrutan operando con el dinero o las posesiones de otros individuos. Pueden ser muy poderosas, portar en su interior el «aguijón de la muerte» y han de transformarse a lo largo de su vida.

Sagitario: Este es un signo de fuego: acción y energía. Se trata de un símbolo de libertad, del que es capaz de recorrer el mundo con una mochila a la espalda, mezclarse con los más diversos individuos, aprender nuevas filosofías y lograr una educación superior. Establece en un momento su código moral y rara vez persiste en sus relaciones durante largo tiempo.

Capricornio: Este es un signo de tierra: físico y material. Todos los capricornios reflejan un deseo de triunfar. Aspiran al éxito en la vida social y a conseguir una abundancia de dinero y de posesiones materiales. Estas constituyen las prioridades en sus vidas. Por desgracia, harán cuanto puedan, por medios legales o de otro tipo, con el fin de imponerse. Se muestran persistentes, lo que contribuye a su éxito.

Acuario: Este es un signo de aire, mental. Representa el de la hermandad, los amigos, las esperanzas y los deseos. Tales personas se muestran inventivas, por lo común positivas y dotadas del deseo de servir y ayudar a la humanidad. Nos hallamos en la edad de Acuario y confiamos en que llevará paz y amor fraterno a cada corazón.

Piscis: Este es un signo de agua, emocional, sensible, creativo y muy psíquico. Tales personas disponen de salidas abundantes para sus talentos como: curandero/ayudante, canales creativos como los de artes y oficios o convertirse en víctima/mártir.

Capítulo 2

Amor y romance

TODAS LAS TIRADAS de este capítulo tienen su base en el amor y el romance. Cualquiera se interesa por relaciones nuevas, implicaciones románticas y compromisos de algún tipo. ¡La perspectiva de conocer a otra persona suscita una gran emoción!

Las tiradas de este capítulo son:

Un nuevo amor.
Una atracción romántica.
La tirada de los enamorados.
Amor mágico.
Guía para los amantes.

Todas las tiradas disponen de lecturas que las explican, a excepción de la última, «Guía para los amantes». ¡Pon a prueba tu capacidad en esta tirada y repara en qué grado te aproximas al éxito! Si has estudiado y aprendido de memoria las «Palabras claves», no deberás de tener problemas durante la lectura.

UN NUEVO AMOR

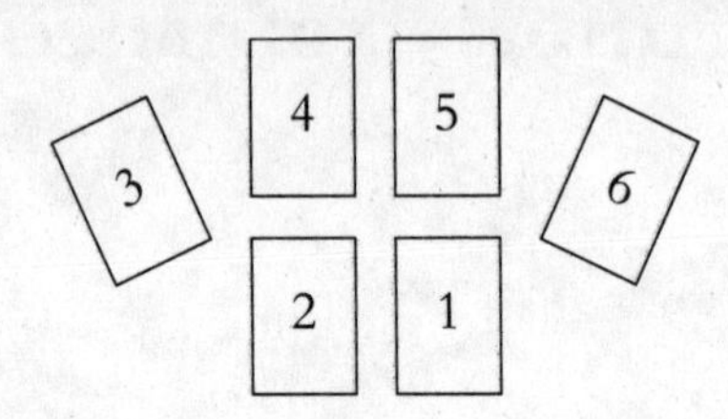

1. ¿Habrá pronto para mí una nueva relación?
2. ¿Qué signo astrológico tendrá esa persona?
3. ¿Seremos compatibles?
4. ¿Constituirá una relación duradera?
5. ¿Será esa persona mi alma gemela?
6. ¿Cuál es el resultado de mi deseo?

Un nuevo amor para Rachel

CARTAS EN LA TIRADA

1.ª posición	Reina de Oros
2.ª posición	Diez de Oros
3.ª posición	Rey de Oros
4.ª posición	Templanza
5.ª posición	Siete de Bastos (invertido)
6.ª posición	As de Copas (invertido)

LECTURA

Pregunta 1: ¿Habrá pronto para mí una nueva relación?
Respuesta: Reina de Oros. Esta reina está implicada en ganar dinero e interesada en la salud y en la curación. Rachel es una idealista y una perfeccionista. Se ha matriculado en una universidad, en donde conocerá a muchas personas. Solo tiene diecisiete años y es muy tímida. ¡Puede que resulte interesante su potencial para una relación durante el invierno!

Pregunta 2: ¿Qué signo astrológico tendrá esa persona?
Respuesta: Diez de Oros. Todos los oros se refieren a los signos de tierra. ¡Rachel es capricornio y quizá atraiga a su vida un signo de tierra!

Pregunta 3: ¿Seremos compatibles?
Respuesta: Rey de oros. Este es un signo de tierra (Tauro). Cabe que sean compatibles si él se revela económicamente estable. Rachel parece interesada en la asistencia social y le gustaría un compañero que se preocupase por otras personas. Las relaciones entre signos de tierra pueden ser compatibles si se muestran prácticos e inclinados a compartir. Los capricornios anhelan el éxito y quizá empujen a sus parejas al logro de sus propios objetivos.

Pregunta 4: ¿Constituirá una relación duradera?
Respuesta: Templanza. Rachel necesita un control de sí misma, armonía y equilibrio. Esta carta se halla regida por Sagitario, que es un signo de libertad. Los que lo ostentan rara vez persisten en relaciones durante

largos periodos. Lleva tiempo aprender acerca de la compañía o la pareja. ¡Emprende ahora un viaje!

Pregunta 5: ¿Será esa persona mi alma gemela?
Respuesta: Siete de Bastos (invertido). Este es el primer naipe del revés en la tirada. La carta no muestra una victoria y revela la impresión de sentirse socialmente inferior o incompetente. No está claro el camino hacia el futuro. Es posible que Rachel se decepcione con ese individuo y descubra que él no es tal como ella creía.

Pregunta 6: ¿Cuál es el resultado de mi deseo?
Respuesta: As de Copas (invertido). Rachel no ha previsto para sí misma ningún nuevo comienzo en una relación amorosa. Experimenta una inestabilidad emocional y se siente agotada. Está preparada para iniciar sus estudios universitarios, pero no se halla segura. Tiene diecisiete años y habla de demorar uno su ingreso.

Comentario: Los padres de Rachel insisten en que estudie o comience a trabajar. No sabe conducir, así que quizá le resulte difícil obtener un empleo. Es capricornio y necesita concentrarse en una carrera. Una buena educación le enseñará quizá a obtener la independencia económica. A los adultos jóvenes les cuesta tomar decisiones cuando son tantas las posibilidades.

Un nuevo amor para Denny

CARTAS EN LA TIRADA

1.ª posición	As de Oros (invertido)
2.ª posición	Caballo de Bastos
3.ª posición	Cinco de Espadas
4.ª posición	Nueve de Oros (invertido)
5.ª posición	Sota de Bastos
6.ª posición	Diez de Oros (invertido)

LECTURA

Pregunta 1: ¿Habrá pronto para mí una nueva relación?

Respuesta: As de Oros (invertido): Esta carta dice a Denny que no surgirán nuevos comienzos, especialmente en cuestiones económicas. Hace falta dinero para ir a sitios y pasar el tiempo con una nueva relación. Este es el momento de conservar recursos y de equilibrar el presupuesto.

Pregunta 2: ¿Qué signo astrológico tendrá esa persona?

Respuesta: Caballo de Bastos. Este caballo, un Leo, aporta mensajes concernientes a las actividades laborales y sociales. Buenas noticias respecto del trabajo, un viaje o un cambio de residencia. Pronto llegarán relaciones u otros acontecimientos afortunados. Si el nuevo amor es Leo, esta persona espera atención, ocupar el centro de la escena. Los Leo poseen grandes expectativas, son muy creativos y tienen un gran sentido del humor.

Pregunta 3: ¿Seremos compatibles?

Respuesta: Cinco de Espadas. Compatibilidad significa entenderse con otros. Este naipe indica que Denny cree en problemas y experimenta el deseo de superar a otras personas en razón de las necesidades de su ego. Denny siente muchos deseos y eso enturbia su juicio. Los Leo son personas extremadamente fuertes y Denny debería tener conciencia de que pueden ser adversarios poderosos.

Pregunta 4: ¿Constituirá una relación duradera?

Respuesta: Nueve de Oros (invertido). Denny parece claramente preocupado de cuestiones económicas. Invertida, esta carta significa sentimientos de dependencia. Refleja asimismo una falta de la sabiduría recogida a través de experiencias pasadas, pérdidas por culpa de los amigos o inversiones imprudentes. Esta relación durará en tanto que no se requiera dinero para asegurar su supervivencia.

Pregunta 5: ¿Será esa persona mi alma gemela?

Respuesta: Sota de Bastos. Esta sota es un signo de fuego, como el Leo de la segunda pregunta, ansiosa de experimentar el trabajo y la vida social. Desean libertad, quieren independencia y gustan de los viajes. La acción es la meta y el objetivo de esta sota. Denny permanece atado a su casa, está ligado a su trabajo y no gastará su dinero sin una causa justa. Tal vez los dos miembros de la pareja puedan enseñarse mutuamente experiencias significativas con el fin de que mejore el carácter de cada uno. ¡Es posible que sean almas gemelas!

Pregunta 6: ¿Cuál es el resultado de mi deseo?

Respuesta: Diez de Oros (invertido). No habrá un cambio significativo en la imagen económica de Denny. La única diferencia estribará en su actitud mental. ¡Que sea feliz!

Comentario: La mitad de los naipes de esta tirada aparecen invertidos, lo que revela una concentración negativa. Denny parece más interesado en la libertad y en el dinero que en una relación nueva y duradera. Requiere tiempo para desarrollarse y madurar. Aún no se han formado sus valores y es preciso fortalecer su sentido de la responsabilidad.

UNA ATRACCIÓN ROMÁNTICA

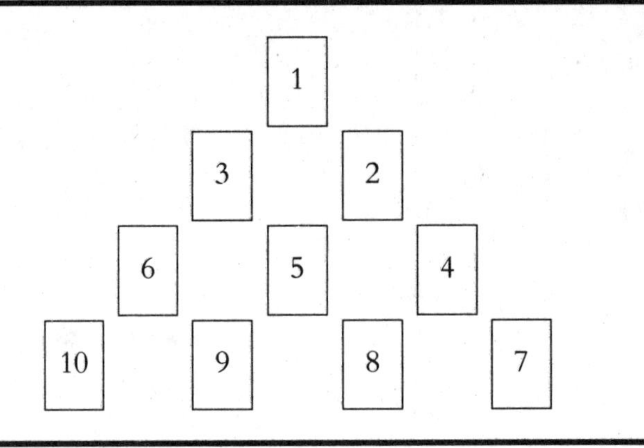

1. ¿En qué radica la atracción?
2. ¿Es cariñosa esa persona?
3. ¿Podemos divertirnos juntos?
4. ¿Somos capaces de trabajar unidos y de ayudarnos mutuamente?
5. ¿Existirá compatibilidad sexual?
6. ¿Se entenderán nuestras familias?
7. ¿Hay diferencias religiosas?
8. ¿Tropezaremos con problemas respecto del poder y del dinero?
9. ¿Se trata de una relación perdurable?
10. ¿Cuál es el resultado?

Una atracción romántica para Susan

CARTAS EN LA TIRADA

1.ª posición	El Sol
2.ª posición	Reina de Copas (invertida)
3.ª posición	Cinco de Bastos
4.ª posición	Dos de Bastos (invertido)
5.ª posición	La Sacerdotisa (invertida)
6.ª posición	Dos de Copas (invertido)
7.ª posición	Nueve de Oros (invertido)
8.ª posición	Cuatro de Espadas
9.ª posición	Nueve de Espadas
10.ª posición	Rey de Copas (invertido)

LECTURA

Pregunta 1: ¿En qué radica la atracción?

Respuesta: El Sol. Susan considera a este hombre sincero, honrado, enérgico y juvenil. ¡Él desea atención, tiene grandes expectativas (no irrazonables, según Susan) y quiere ser una estrella refulgente!

Pregunta 2: ¿Es cariñosa esa persona?

Respuesta: Reina de Copas (invertida). Susan estima que es vehemente, pero que experimenta un agotamiento emocional respecto de las mujeres. Esta reina puede constituir un enemigo implacable, maligna y vengativa si se juzga agraviada. Tal individuo no ama con facilidad.

Pregunta 3: ¿Podemos divertirnos juntos?

Respuesta: Cinco de Bastos. Existe la posibilidad de que surjan problemas del ego entre Susan y el hombre que acaba de conocer. Este naipe denota que Susan cree que debe mantener su propio estilo en el trabajo y en sociedad. Tal actitud es susceptible de conducir a enfrentamientos entre Susan y su nueva relación. Quizá resulten divertidas las peleas. ¿Pero cuál será el resultado para ellos?

Pregunta 4: ¿Somos capaces de trabajar unidos y de ayudarnos mutuamente?

Respuesta: Dos de Bastos (invertido). Susan ignora el grado de seguridad que siente en esta relación. No conoce muy bien ni desde hace mucho tiempo a esa persona. En realidad, acaban de encontrarse. Por desgracia, él vive en otro lugar del país, lo que plantea problemas. ¡Solo el tiempo lo dirá!

Pregunta 5: ¿Existirá compatibilidad sexual?

Respuesta: La Sacerdotisa (invertida). Susan revelaba que era demasiado pronto para ligarse a este hombre de un modo sexual íntimo. Alienta algunos temores respecto de la relación y ha decidido ser cautelosa. Susan dijo que no sabía cuándo volvería a verlo.

Pregunta 6: ¿Se entenderán nuestras familias?

Respuesta: Dos de Copas (invertido). Susan considera que ambas familias pueden tratar de intervenir entre ella y su nuevo amor. Eso crearía un desgaste emocional y obligaría a ella y a su pareja a tomar decisiones que no están dispuestos a asumir. Susan tiene que comprender que una excelente relación amorosa es muy sana y que vale la pena esforzarse por lograrla, sean cuales fueren las intromisiones de los parientes.

Pregunta 7: ¿Hay diferencias religiosas?

Respuesta: Nueve de Oros (invertido). No existen problemas en lo que atañe a las creencias religiosas, pero Susan se estima carente de conocimientos respecto del dinero y quizá tenga miedo de abordar esta cuestión. No se juzga una mujer independiente y rica y su nuevo amor procede de una familia opulenta.

Pregunta 8: ¿Tropezaremos con problemas respecto del poder y del dinero?

Respuesta: Cuatro de Espadas. Susan crea sus propios problemas y dificultades. Tiene que entender que la distrae su inseguridad. Este es el momento de que se calme, rece y tenga fe en sí misma. Si su nuevo amor y ella mantienen un equilibrio, serán capaces de hacer frente a cualquier obstáculo.

Pregunta 9: ¿Se trata de una relación perdurable?

Respuesta: Nueve de Espadas. Susan se halla en crisis. Solo puede ver problemas y dificultades por lo que se refiere a esta relación. Resulta casi demasiado maravillosa para ser verdad. ¡Este hombre es joven, atractivo y tiene dinero! Tal vez tema no ser merecedora de tanta suerte. ¿Mas por qué no? Si Susan no procede con cuidado, todo acabará antes de que haya tenido tiempo de implicarse en la relación.

Pregunta 10: ¿Cuál es el resultado?

Respuesta: Rey de Copas (invertido). Susan sufre un desgaste emocional y teme perder el control. Siente miedo a amar, a entregar su corazón y quedar herida en el proceso. Debe considerar que ha de correr el albur y creer que todo irá bien.

Comentario. El amor es la respuesta al dilema de Susan. Todo el mundo merece la felicidad en la vida. ¡Tanto mejor si además llega a tiempo el dinero! Pero desde que fue realizada esta lectura, Susan pasó algún tiempo con esa persona y la relación acabó.

Una atracción romántica para Larry

CARTAS ÈN LA TIRADA

1.ª posición	Tres de Espadas
2.ª posición	Rey de Oros
3.ª posición	As de Bastos (invertido)
4.ª posición	Ocho de Espadas
5.ª posición	Siete de Bastos
6.ª posición	Sota de Oros
7.ª posición	Seis de Oros
8.ª posición	Los Enamorados (invertido)
9.ª posición	Sota de Bastos
10.ª posición	Cinco de Oros

LECTURA

Pregunta 1: ¿En qué radica la atracción?

Respuesta: Tres de Espadas. A través de esta carta vemos celos y problemas y un potencial triángulo amoroso. ¿Es esta atracción romántica una persona casada y se halla implicado Larry en una relación que no puede tener? Cabe que Larry guste de la controversia, pero puede conducirlo a un enfrentamiento serio e incluso a un peligro.

Pregunta 2: ¿Es cariñosa esa persona?

Respuesta: Rey de oros. Se trata de alguien independiente, cariñosa, experta con el dinero y tenaz. Constituye una mujer de negocios, ducha en cuestiones financieras y con éxito. Le agrada ayudar a otros de maneras muy diferentes.

Pregunta 3: ¿Podemos divertirnos juntos?

Respuesta: As de Bastos (invertido). En este momento Larry no se siente feliz porque no dispone de mucho tiempo libre para realizar viajes, acometer nuevos empeños o conocer nuevas experiencias. Este no es el momento de hacer nuevos planes para unas relaciones. Necesita concentrarse fundamentalmente en el trabajo y dejar tranquila su vida social. ¡Si Larry no se toma demasiado en serio este asunto, es posible que los dos se diviertan sin riesgo alguno!

Pregunta 4: ¿Somos capaces de trabajar unidos y de ayudarnos mutuamente?

Respuesta: Ocho de Espadas. Larry posee fuerza suficiente para abordar esta situación, pero quizá le cause más problemas de los que merece. Pisa un terreno inestable y no quiere reconocer el peligro. Larry debería reflexionar y proceder a responder a sus preguntas. Ha de adoptar sus propias decisiones en lo que se refiere a esta relación.

Pregunta 5: ¿Existirá compatibilidad sexual?

Respuesta: Siete de Bastos. En tanto que Larry se base en sus capacidades mentales, será capaz de alcanzar el éxito en cuanto emprenda. Lo mismo en los negocios que en la vida social, Larry debe atenerse a su propio criterio y dar expresión a su ego y a su fuerza de voluntad. Conseguirá la compatibilidad, si es eso lo que desea. La respuesta a la pregunta 2 decía que la otra persona era cariñosa pero independiente. El sexo representará un problema si falta el amor en lo que atañe a Larry.

Pregunta 6: ¿Se entenderán nuestras familias?

Respuesta: Sota de Oros. Si Larry se halla interesado en estudiar, se concentra en su carrera o posee el potencial para llegar a la cima en su profesión, resultará aceptable a la familia de su atracción romántica. Tiene que mostrarse ambicioso y tradicional y saber revelar una actitud positiva hacia el hecho de ganar dinero. Aún no se muestra seguro acerca de esta relación y le agobian los interrogantes.

Pregunta 7: ¿Hay diferencias religiosas?

Respuesta: Seis de Oros. Este naipe indica que Larry debe hacer algún tipo de elección en lo que se refiere a las finanzas, el juego limpio y compartir recursos. Es posible que existan diferencias religiosas entre Larry y su amor y que ambos tengan que efectuar adaptaciones.

Pregunta 8: ¿Tropezaremos con problemas respecto del poder y del dinero?

Respuesta: Los Enamorados (invertido). Esta carta muestra que Larry posee escasa confianza en sí mismo para comprometerse en problemas.

Teme tomar decisiones, quizá por miedo a equivocarse. Tal vez las cuestiones relacionadas con el poder y el dinero conduzcan a una alienación. En cualquier relación son ingredientes esenciales la honestidad y la confianza.

Pregunta 9: ¿Se trata de una relación perdurable?

Respuesta: Sota de Bastos. Esta sota se muestra ansiosa de experimentar el trabajo y la vida social. Tanto Larry como el objeto de su atracción romántica desean libertad; ambos son obstinados e independientes. Los dos desean viajar, estudiar culturas extranjeras y disfrutar de la vida. Es posible que la relación sea breve y dulce o que perdure con sucesivos altibajos.

Pregunta 10: ¿Cuál es el resultado?

Respuesta: Cinco de Oros. Este naipe apunta a la eventualidad de que en fecha próxima Larry o su pareja se vean agobiados por un exceso de trabajo. Larry trata el dinero como si fuese un dios, lo que no constituye una actitud sana y es susceptible de colmar a una persona de juicios negativos. Este naipe revela una orientación hacia la pobreza sin ninguna confianza en una fuerza interior. Tal vez ni Larry ni su pareja se sientan tan respaldados como les gustaría hallarse. Aparece un potencial para el empleo de drogas.

Comentario. Cualquier relación puede funcionar si hay amor, confianza y un deseo de estar juntos. En esta parecen ser muchas las dificultades que resultará preciso superar, pero con perseverancia sobrevendrá el éxito. Si ella se muestra accesible, Larry tendrá una buena posibilidad de conseguir ese amor. ¡Con empeño suficiente, nada se interpondrá en su camino!

LA TIRADA DE LOS ENAMORADOS

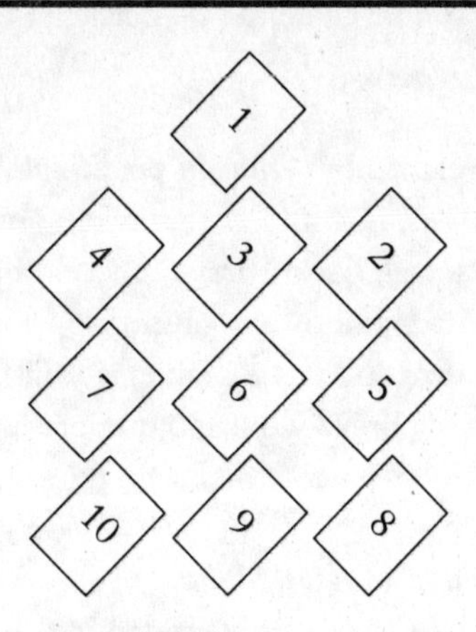

1. ¿Se interesa mi amor por mí?
2. ¿Somos compatibles?
3. ¿Tenemos deseos y objetivos semejantes?
4. ¿Es fiel y sincero conmigo?
5. ¿Es solo sexual nuestra mutua atracción?
6. ¿Pensará él en el matrimonio?
7. ¿Posee niveles elevados y valores excelentes?
8. ¿Podremos compartir el dinero y nuestras posesiones materiales?
9. ¿Seguirá conmigo o me abandonará?
10. ¿Cuál es el resultado final?

Tirada de los enamorados para Doris

CARTAS EN LA TIRADA

1.ª posición	Templanza
2.ª posición	La Rueda de la Fortuna (invertida)
3.ª posición	Sota de Copas
4.ª posición	El Loco
5.ª posición	Caballo de Bastos
6.ª posición	La Suma Sacerdotisa (invertida)
7.ª posición	El Sumo Sacerdote (invertido)
8.ª posición	Diez de Bastos (invertido)
9.ª posición	As de Copas
10.ª posición	Cuatro de Copas (invertido)

LECTURA

Pregunta 1: ¿Se interesa mi amor por mí?

Respuesta: Templanza. Doris tiene que equilibrar sus necesidades emocionales y mostrar paciencia durante este periodo difícil de su existencia. La Templanza revela fuego, que es acción y energía. Ha de reducir el ritmo de su vida y disfrutarla, lo que no resulta fácil para un signo de fuego (es una leo). La pareja de Doris se interesa por ella, pero no está preparado para comprometerse en una relación duradera.

Pregunta 2: ¿Somos compatibles?

Respuesta: La Rueda de la Fortuna (invertida). No existen cambios en la relación de Doris. No debería jugar ni correr riesgo alguno con su amor, sino limitarse a seguir la corriente. Doris desea ser admirada y querida, y su amor le proporciona lo que necesita cuando se hallan juntos.

Pregunta 3: ¿Tenemos deseos y objetivos semejantes?

Respuesta: Sota de Copas. Tanto Doris como su pareja son seres muy sensibles y creativos y poseen una capacidad psíquica. Esta sota puede aportar buenas noticias en lo que se refiere a relaciones amorosas, fiestas, nacimientos y matrimonios (no necesariamente el propio). Es posible que el naipe revele que lo mismo Doris que su amor son inmaduros, ilusos y tal vez estén agobiados con problemas relativos al alcohol y las drogas. Quizá no coincidan sus objetivos.

Pregunta 4: ¿Es fiel y sincero conmigo?
Respuesta: El Loco. El amor de Doris desea aventuras, nuevas experiencias e ir de acá para allá. Como no existe compromiso, se halla en libertad de hacer cuanto le plazca.

Pregunta 5: ¿Es solo sexual nuestra mutua atracción?
Respuesta: Caballo de Bastos. El caballo aporta información concerniente al trabajo y a las actividades sociales. Existen planes para un viaje o un cambio de residencia. Doris trata de realizar ambas cosas: comprar un piso y viajar en razón de su trabajo. Tales actividades no dejan mucho tiempo a la tarea de construir un futuro para sí misma y para su amor.

Pregunta 6: ¿Pensará él en el matrimonio?
Respuesta: La Suma Sacerdotisa (invertida). Doris no lo cree. Estima que es un hombre de miras estrechas, que teme comprometerse y que carece de confianza en sí mismo. Tal vez no desee en su vida a una mujer manifiestamente inteligente.

Pregunta 7: ¿Posee niveles elevados y valores excelentes?
Respuesta: El Sumo Sacerdote (invertido). Doris juzga que su amor es un buscador de placeres, complaciente consigo mismo y materialista. Disfruta del sexo y de la compañía de ella, pero no parece desear una relación más estrecha. El Sumo Sacerdote invertido muestra a una persona rebelde y no dispuesta a someterse a unas reglas. Si sus niveles y valores no son elevados, Doris debe reconsiderar esta relación.

Pregunta 8: ¿Podremos compartir el dinero y nuestras posesiones materiales?
Respuesta: Diez de Bastos (invertido). En este momento Doris se siente agobiada por sus propias necesidades, incluyendo la de tratar de adquirir un piso para ella. Quizá no se muestre inclinada a compartir sus recursos con su amor si este no pone de manifiesto su buena fe.

Pregunta 9: ¿Seguirá conmigo o me abandonará?

Respuesta: As de Copas. Esta carta declara a Doris que conocerá nuevos comienzos en su vida amorosa. ¡Antes de un año tendrá una nueva residencia y seguirán la felicidad y el placer! El naipe alude asimismo a nuevas implicaciones emotivas. ¿Se alejará este amor de la existencia de Doris?

Pregunta 10: ¿Cuál es el resultado final?

Respuesta: Cuatro de Copas (invertido). Doris no entiende el modo en que se siente emocionalmente. Se advierte decepcionada en su relación amorosa; posee grandes expectativas, pero teme el compromiso o el rechazo. Ha estado casada y divorciada y no desea repetir la experiencia.

Comentario. Con tantas cartas del revés en esta tirada, no parece probable que esta relación prosiga y determine un matrimonio. Tal desenlace coincide con lo que piensa Doris, pero esto puede cambiar en un instante. ¿Es factible que le aguarde su auténtica pareja? ¡Desde que fue practicada esta lectura, Doris se ha trasladado a Australia con un nuevo amor!

Tirada de los enamorados para Suzanne

CARTAS EN LA TIRADA

1.ª posición	Ocho de Espadas (invertido)
2.ª posición	La Torre (invertida)
3.ª posición	Nueve de Copas
4.ª posición	El Sumo Sacerdote (invertido)
5.ª posición	Caballo de Bastos
6.ª posición	Siete de Oros (invertido)
7.ª posición	Reina de Bastos (invertida)
8.ª posición	El Juicio (invertido)
9.ª posición	Seis de Espadas
10.ª posición	Ocho de Bastos

LECTURA

Pregunta 1: ¿Se interesa mi amor por mí?

Respuesta: Ocho de Espadas (invertido). Esta carta indica que Suzanne debe abandonar tal relación insana. Su pareja carece de la fortaleza precisa para mantener una buena comunicación amorosa. ¿O quizá ambos padecen una mala salud? El naipe denota asimismo una falta de confianza o de fe en sí misma. En esta unión existen problemas que es preciso abordar pronto.

Pregunta 2: ¿Somos compatibles?

Respuesta: La Torre (invertida). Suzanne tiene que aprender a evaluar sus experiencias pasadas para comprobar si ha repetido el mismo tipo de relación, pero se niega a prescindir de sus antiguos hábitos. La concentración corresponde a la sexualidad, los celos y el resentimiento que podrían referirse a ella o a su pareja. Es posible que haya problemas económicos.

Pregunta 3: ¿Tenemos deseos y objetivos semejantes?

Respuesta: Nueve de Copas. Esta es la carta de los deseos y se halla del derecho, lo que indica que el anhelo manifestado por Suzanne al comienzo de la lectura quedará satisfecho. Ha de emplear ahora la intuición y la sabiduría obtenida a través de la experiencia. Considera que los dos desean las mismas cosas y que laboran en pro de objetivos iguales.

Pregunta 4: ¿Es fiel y sincero conmigo?

Respuesta: El Sumo Sacerdote (invertido). Este naipe del revés denota que su pareja puede ser un buscador de placeres, complaciente consigo mismo y materialista, así como intolerante e inclinado a la crítica. Quizá sea estrecho de miras y tenga poca fe en sí mismo. Es posible que este hombre no esté dispuesto a un compromiso serio.

Pregunta 5: ¿Es solo sexual nuestra mutua atracción?

Respuesta: Caballo de Bastos. De esta carta se deduce que las necesidades del ego constituyen el elemento más importante en la relación. Llegan a Suzanne mensajes referentes al trabajo y a las actividades sociales. Suzanne cuenta con excelentes perspectivas relativas a un viaje, un posible cambio de residencia o un matrimonio. ¿Tal vez el suyo?

Pregunta 6: ¿Pensará él en el matrimonio?

Respuesta: Siete de oros (invertido). La carta muestra una vía incierta hacia el dinero y el éxito no es seguro. Por el momento, su amor probablemente no desea comprometerse en un matrimonio. Quizá existan problemas de salud; tanto Suzanne como su pareja pueden sentir frustración, ansiedad y una falta de confianza.

Pregunta 7: ¿Posee niveles elevados y valores excelentes?

Respuesta: Reina de Bastos (invertida). Esta carta alude al ego y a la necesidad de atención, alabanza y aplausos. La pareja de Suzanne posee normas elevadas para su persona y un sentido de los valores que solo a él atañe. Alienta grandes expectativas de lo que es capaz de realizar para él otra persona. Quizá a Suzanne le cueste mucho hacer frente a tales necesidades y perspectivas.

Pregunta 8: ¿Podremos compartir el dinero y nuestras posesiones materiales?

Respuesta: El Juicio (invertido). Suzanne o su pareja experimentan la obsesión de las ganancias materiales. Hay una mutua falta de criterio respecto del otro y la imposibilidad de percibir con claridad esta relación.

Tienen que debatir con sinceridad su posición económica y aprender a confiar en el otro antes de hablar de ningún tipo de compromiso.

Pregunta 9: ¿Seguirá conmigo o me abandonará?

Respuesta: Seis de Espadas. Existe la tentación de escapar de los problemas y la pareja de Suzanne se enfrenta con un dilema. Tal vez no considere valiosa la relación o puede que no desee comprometerse ahora. Quizá Suzanne o él deberían realizar un viaje y ver si la ausencia fortalece su amor.

Pregunta 10: ¿Cuál es el resultado final?

Respuesta: Ocho de Bastos. Suzanne dispone de fuerzas para trabajar y mantener actividades sociales. Es capaz de superar cualquier problema si lo desea.

Comentario: Esta relación presenta numerosos problemas, pero no son insuperables. ¡El amor encontrará un camino! Comunicaos.

AMOR MÁGICO

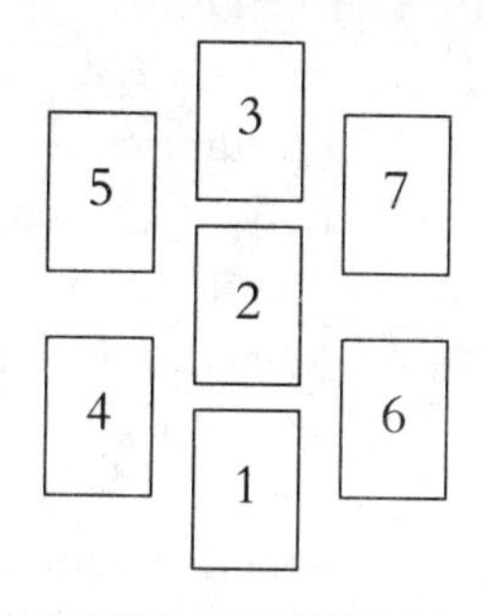

1. ¿Encontraré a mi verdadero amor?
2. ¿Sentiré seguridad con esa persona?
3. ¿Tengo en perspectiva un matrimonio?
4. ¿Será esta nueva pareja semejante a las anteriores?
5. ¿Llegará a existir un compromiso en este nuevo amor?
6. ¿Puede persistir la magia entre nosotros?
7. ¿Qué debe hacer para que esa persona forme parte de mi vida?

Amor mágico para Denis

CARTAS EN LA TIRADA

1.ª posición	La Suma Sacerdotisa (invertida)
2.ª posición	El Sol (invertido)
3.ª posición	Tres de Oros
4.ª posición	Nueve de Copas (invertido)
5.ª posición	Seis de Copas (invertido)
6.ª posición	Siete de Oros
7.ª posición	Sota de Oros (invertida)

LECTURA

Pregunta 1: ¿Encontraré a mi verdadero amor?

Respuesta: La Suma Sacerdotisa (invertida). Denis afirma que desconoce el significado de la vida o el modo de establecer una buena relación. Estrecho de miras, mantiene una actitud rígida. Sus padres se divorciaron cuando él era muy pequeño y ahora teme asumir un compromiso. Es posible que se muestre crítico o excesivamente analítico en sus tratos con los demás. ¡El verdadero amor solo ve perfección en el ser amado!

Pregunta 2: ¿Sentiré seguridad con esa persona?

Respuesta: El Sol (invertido). Denis se advertirá seguro con cualquiera si percibe tal firmeza en sí mismo. Carece de valor y es posible que sea baja su propia estimación, lo que en nada contribuye a sus necesidades. Tiene que aprender primero a aceptarse tal como es. Se trata de un joven apuesto que debería poseer confianza en su persona, mostrarse abierto y sincero y no temer el rechazo. Del revés, este naipe denota un ego escaso y menos energía, circunstancias ambas que cabe superar.

Pregunta 3: ¿Tengo en perspectiva un matrimonio?

Respuesta: Tres de Oros. Este naipe alude a un auténtico artífice, una persona que alcanza el éxito en el campo elegido y que es muy creativa. Denis gana dinero porque destaca en su trabajo. Con el tiempo, su talento le aportará grandes recompensas, pero él desea todo ahora. Esta carta indica que Denis anhela una pareja con talento creativo y capaz de hacer dinero. El matrimonio es algo más que potencial si consigue hallar a una mujer que se mantenga a sí misma y comparta con él sus recursos.

Pregunta 4: ¿Será esta nueva pareja semejante a las anteriores?

Respuesta: Nueve de Copas (invertido). Denis es un escorpio y muy vehemente en lo que concierne a sus deseos, pero si carece de la sabiduría de sus experiencias en el amor quedará condenado a repetir su pasado. De no ser consciente de su desgaste emocional, aportará a su vida el mismo tipo de relación. Sin nueva información o el rechazo a evaluar experiencias previas, son inevitables las reiteraciones en cada sector de la vida de una persona. Es tiempo de cambiar de creencias.

Pregunta 5: ¿Llegará a existir un compromiso en este nuevo amor?

Respuesta: Seis de Copas (invertido). Este naipe del revés advierte de la necesidad de tener cuidado cuando alguien toma por ti las decisiones. Si Denis no elige por sí mismo en este nuevo amor, se sentirá atrapado. Existe la posibilidad de que esta experiencia sea emocionalmente agotadora para Denis. Cabe la eventualidad de un compromiso. ¿Pero será práctico?

Pregunta 6: ¿Puede persistir la magia entre nosotros?

Respuesta: Siete de Oros. La vía hacia la magia es económica para Denis. Su concentración mental corresponde a las responsabilidades financieras y a sentirse seguro, a tener dinero en el banco. La vida es magia, pero los seres humanos tienden a buscar defectos, logrando que esta desaparezca. Si Denis se ama y acepta a sí mismo, será capaz de establecer una relación maravillosa y la magia podrá durar siempre.

Pregunta 7: ¿Qué debo hacer para que esa persona forme parte de mi vida?

Respuesta: Sota de Oros (invertida). Esta sota no se halla interesada en los estudios, la fijación de objetivos o ganar dinero. Indica que Denis tal vez desee la vida fácil, prefiriendo no trabajar muy de firme y agraviado por las figuras de autoridad. En el caso de que Denis pretenda una relación duradera, debe efectuar algunas alteraciones en su manera de pensar. Prestando atención a sus reflexiones y creencias, se encontrará en disposición de modificar su vida. Recuerda que manifiestas lo que crees. Y eso reza para todo el mundo.

Comentario: Denis ha conocido varias relaciones pero ninguna permanente. Sus padres se divorciaron y ese temprano condicionamiento no le proporcionó una sensación de seguridad. Denis ha cumplido treinta años y no cree haber triunfado. Desde que se llevó a cabo esta lectura ha retornado a la Facultad de Medicina y espera convertirse en ayudante de un médico. Ha iniciado además una nueva relación. ¡Tres hurras por Denis!

Amor mágico para Adele

CARTAS EN LA TIRADA

1.ª posición	El Ahorcado
2.ª posición	Cinco de Oros (invertido)
3.ª posición	As de Bastos
4.ª posición	Diez de Oros
5.ª posición	As de Oros (invertido)
6.ª posición	El Sumo Sacerdote
7.ª posición	Reina de Espadas (invertida)

LECTURA

Pregunta 1: ¿Encontraré a mi verdadero amor?

Respuesta: El Ahorcado. Adele considera que ha estado sacrificada a la voluntad y los deseos de otros. Debe llegar a tener fe en sí misma y dejar de vivir en un mundo de fantasía. Encontrará al verdadero amor cuando haya logrado quererse. También tiene que aprender a meditar.

Pregunta 2: ¿Sentiré seguridad con esa persona?

Respuesta: Cinco de Oros (invertido). Adele no ha hecho del dinero su dios. Está rodeada de parientes ambiciosos y pretende vivir su existencia de un modo diferente. A los diecisiete años, quizá siente que necesita un empleo y tornarse independiente. Si Adele contrae una relación, aceptará a la persona en cuestión basándose en sus propias condiciones y no en lo que otros quieran que haga. Adele comienza a tener fe en su propio talento y también en sí misma. La sensación de seguridad debe proceder de dentro. Es una Leo con una mentalidad propia.

Pregunta 3: ¿Tengo en perspectiva un matrimonio?

Respuesta: As de Bastos. El matrimonio es siempre potencial para cualquiera que lo desee. Adele está llamada a tener nuevos comienzos en el trabajo y en la vida social. Sus padres se divorciaron y ambos volvieron a casarse. Quizá anhele excitación e introducir a alguien en su vida, pero es posible que tarden el amor y el matrimonio.

Pregunta 4: ¿Será esta nueva pareja semejante a las anteriores?

Respuesta: Diez de Oros. Adele observó que era demasiado joven para haber tenido antes un amor. Aguarda a ver el tipo de relación a la que atraerá. Esta carta indica un cambio de fortuna y anuncia que le esperan mejores tiempos.

Pregunta 5: ¿Llegará a existir un compromiso en este nuevo amor?

Respuesta: As de Oros (invertido). No parece probable que la primera relación determine un compromiso. Este naipe señala que Adele debe conservar sus energías durante el presente periodo. Tal vez su primer amor carezca de recursos propios y deba terminar sus estudios antes de aceptar un vínculo formal.

Pregunta 6: ¿Puede persistir la magia entre nosotros?

Respuesta: El Sumo Sacerdote. El naipe denota que Adele está buscando un preceptor. Por el momento debería ir en pos de un maestro interior y meditar, ir hacia dentro de sí misma con el fin de hallar respuestas a sus problemas. Tal vez sus creencias le creen en la vida experiencias negativas. Anhela la aprobación y se rebela ante la autoridad. La magia puede durar si no es criticada en esta relación.

Pregunta 7: ¿Qué debo hacer para que esa persona forme parte de mi vida?

Respuesta: Reina de Espadas (invertida). La madre de Adele es una libra, al igual que esta carta. Esa mujer tuvo un efecto espectacular en ella. Alcanzó el éxito y trabaja de firme. Adele tiene dos hermanas, y la rivalidad con ellas puede ser parte del problema. Ha pasado los últimos años en compañía de su padre y de su madrastra y no se siente muy feliz con ese arreglo. La Reina de Espadas del revés denota que la persona en cuestión no desea estar sola, que prefiere sentirse dentro de una relación. Por el momento, Adele ha de encontrar a alguien antes de que deba preocuparse del modo de convertirle en parte de su vida. No quiere permanecer soltera mucho tiempo, aunque tenga solo diecisiete años.

Comentario: Adele insistió en someterse a esta lectura específica. No se halla implicada con nadie, pero parece tener prisa en hallar a alguien que la quiera y rescate de su familia. Conoció una infancia dura y tuvo problemas en la adolescencia. El tiempo dirá si cambia su manera de pensar y sus creencias y decide disfrutar de la existencia a pesar de las experiencias previas. Al comienzo de 1997 Adele compartía un piso con una compañera. Trabaja y estudia en la universidad. Es una inconformista en su manera de vestir y de peinarse, con anillos en las orejas, la nariz y la lengua.

Amor mágico para Julie

CARTAS EN LA TIRADA

1.ª posición	Sota de Bastos
2.ª posición	El Mundo (invertido)
3.ª posición	La Suma Sacerdotisa
4.ª posición	Cinco de Oros
5.ª posición	Siete de Oros
6.ª posición	Rey de Espadas
7.ª posición	Reina de Oros

LECTURA

Pregunta 1: ¿Encontraré a mi verdadero amor?

Respuesta: Sota de Bastos. Julie es sagitario, como esta carta. Ama la libertad, le entusiasman las experiencias nuevas, es independiente y desea viajar. Tal vez no desee una relación permanente a causa de su necesidad de libertad. Reveló su anhelo de encontrar a un hombre más joven que ella y coincidir con su inclinación.

Pregunta 2: ¿Sentiré seguridad con esa persona?

Respuesta: El Mundo (invertido). No. El panorama económico no parece prometedor. Julie no se siente respaldada y eso creará problemas.

Pregunta 3: ¿Tengo en perspectiva un matrimonio?

Respuesta: La Suma Sacerdotisa. Este naipe declara que Julie es inteligente y que posee las respuestas dentro de sí misma. Sabrá si una relación es conveniente.

Pregunta 4: ¿Será esta nueva pareja semejante a las anteriores?

Respuesta: Cinco de Oros. Esta carta denota que el individuo desea dinero y quizá padezca adicción al alcohol o a las drogas. Julie considera a esta persona tarada en cierto modo por lo que se refiere a sus aspiraciones económicas. No es positiva la creencia en el dinero en lugar de uno mismo. Julie debe preguntarse si sus parejas anteriores tuvieron problemas financieros.

Pregunta 5: ¿Llegará a existir un compromiso en este nuevo amor?

Respuesta: Siete de Oros. La carta revela el deseo de Julie de decidir ella acerca de su dinero y de la manera de gastarlo. Trabaja para obtenerlo y no quiere que alguien le dicte lo que tiene que hacer con su sueldo. Cuenta con su propia vía económica. El siete indica que no existirá compromiso, como no sea bajo las condiciones impuestas por Julie.

Pregunta 6: ¿Puede persistir la magia entre nosotros?

Respuesta: Rey de Espadas. Esta carta puede aludir a tramitaciones legales o a su pareja (Géminis). Julie desea un hombre con un potencial profesional e inteligente. La magia radica quizá más en las cuestiones económicas que en el amor. Un acuerdo previo al matrimonio puede eliminar la magia.

Pregunta 7: ¿Qué debo hacer para que esa persona forme parte de mi vida?

Respuesta: Reina de Oros. Con la Reina de Oros, sexo y dinero parecen ser la solución. Este es el naipe de una cantidad fructífera o de un niño. Julia considera que si tiene más dinero, atraerá a un amante, pero no desea compartir sus recursos ni depender de él. ¡Tal es el dilema!

Comentario: Examina tus necesidades de dependencia. Aprende a confiar en en ti y decide tener una vida feliz.

GUÍA PARA LOS AMANTES

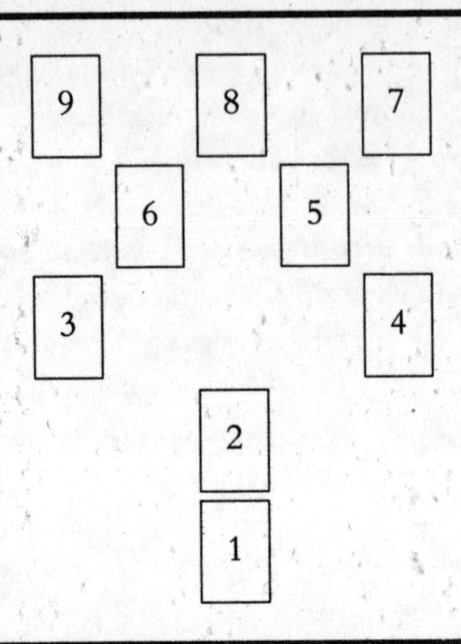

1. ¿Qué tipo de pareja busco?
2. ¿Será esa persona solícita, cariñosa y me animará?
3. ¿Representará la comunicación un problema entre nosotros?
4. ¿Trabaja o desarrolla una carrera profesional esa persona?
5. ¿Será nuestra atracción sexual, emocional o mental?
6. ¿Somos bastante maduros para mantener una relación seria?
7. ¿Resultarán compatibles nuestras creencias religiosas?
8. ¿Qué dificultades económicas pueden surgir?
9. ¿Qué puedo hacer para introducir en mi vida a esa persona?

Capítulo 3

Cuestiones del hogar y de la familia

LAS TIRADAS de este capítulo son:

Problemas familiares.
Tirada de la salud.
Un ladrón en casa.
Tirada de los objetos perdidos.

Las cuestiones relacionadas con la familia revisten importancia para cada persona y «Problemas familiares» puede mostrar cómo empezaron las dificultades o el modo en que se han agrandado. La «Tirada de la salud» se halla en condiciones de informar a los individuos acerca del modo en que sufren por culpa de sus creencias largo tiempo sustentadas.

«Un ladrón en casa» sobrevino tras una conversación con un amigo, muy trastornado después de haber sufrido un robo y que necesitaba dar rienda suelta a su ira. ¡Así nació esa tirada! La inspiración procede de muchas direcciones y debemos permanecer alerta ante este potencial.

La «Tirada de los objetos perdidos» es la última en este capítulo. No presenta una muestra de lectura, pero esta es bastante clara. Es posible que las preguntas refresquen la memoria del solicitante hasta que se acuerde del sitio en que dejó el objeto en cuestión.

Recuerda que cada tirada reviste importancia para el interrogador. Como lector, debes tratar de aliviar su carga, proporcionándole una información pertinente que sea capaz de utilizar.

PROBLEMAS FAMILIARES

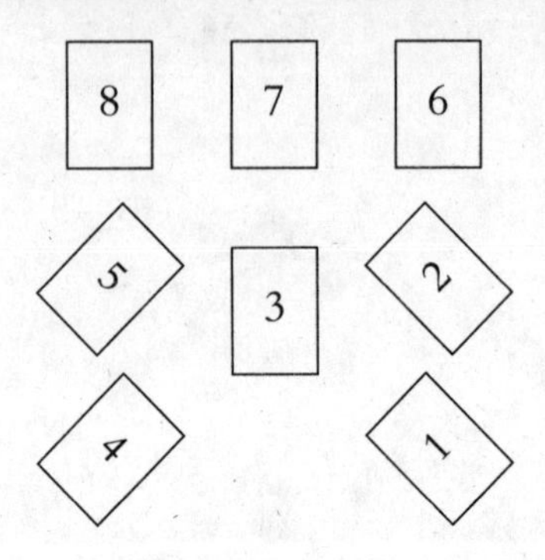

1. ¿Quién se halla fundamentalmente implicado en el problema?
2. ¿Qué significa el conflicto en lo que atañe a tu seguridad?
3. ¿En qué modo representa una cuestión en el problema la existencia de una conducta disfuncional?
4. ¿Tuvo esa persona dificultades semejantes en el pasado?
5. ¿Qué medidas conviene adoptar para resolver la cuestión?
6. ¿Hay situaciones que deberías evitar?
7. ¿Qué efecto ejercen estos problemas en tu salud?
8. ¿Cuáles son los resultados últimos?

Problemas familiares para Tom

CARTAS EN LA TIRADA

1.ª posición	Diez de Bastos (invertido)
2.ª posición	Nueve de Oros (invertido)
3.ª posición	El Mundo
4.ª posición	Siete de Espadas
5.ª posición	Nueve de Bastos
6.ª posición	Ocho de Espadas
7.ª posición	Ocho de Copas (invertido)
8.ª posición	Seis de Bastos (invertido)

LECTURA

Pregunta 1: ¿Quién se halla fundamentalmente implicado en el problema?

Respuesta: Diez de Bastos (invertido). Tom considera que soporta cargas pesadas en el trabajo y en la vida social. Todas las personas implicadas son familiares y Tom se juzga atrapado en esa situación. Por el momento no advierte posibilidad alguna de cambio. Se refirió a la frustración causada por los obstáculos ante cualquiera de sus planes.

Pregunta 2: ¿Qué significa el conflicto en lo que atañe a tu seguridad?

Respuesta: Nueve de Oros (invertido). Tom advierte su falta de conocimientos en cuestiones económicas. Considera que sus decisiones no son respaldadas por sus parientes, pero experimenta una sensación de dependencia porque su dinero está ligado a una empresa familiar.

Pregunta 3: ¿En qué modo representa una cuestión en el problema la existencia de una conducta disfuncional?

Respuesta: El Mundo. Uno de los parientes padece problemas previos, que están creando trastornos emocionales; y otro, en opinión de Tom, no asume una justa parte de las responsabilidades. Pero la presencia de la carta del Mundo indica que el éxito será el resultado de todos los empeños. Tom cuenta con el respaldo de sus recursos íntimos y es capaz de mantener un equilibrio a lo largo de cualquier crisis.

Pregunta 4: ¿Tuvo esa persona dificultades semejantes en el pasado?

Respuesta: Siete de Espadas. Tom observó que los problemas constituyen parte de la imagen. Mencionó al individuo que había conocido apuros previos y al que no estaba interesado en atarse al trabajo. Es posible que la situación sea temporal y que cambie velozmente. Tom considera que es víctima de un engaño y que otros se aprovechan de él.

Pregunta 5: ¿Qué medidas conviene adoptar para resolver la cuestión?

Respuesta: Nueve de Bastos. Tom necesita recurrir a su saber en el trabajo y en su vida social. Ha de emplear tácticas justas y lograr sus objetivos gracias a su inteligencia, al tiempo que aprende a protegerse y a defender sus intereses tanto en la vida laboral como en la social.

Pregunta 6: ¿Hay situaciones que deberías evitar?

Respuesta: Ocho de Espadas. No existe modo de que Tom rehúya sus problemas. Se siente sometido y sobre terreno inseguro, pero pronto se afirmará. Por fortuna, posee la fuerza precisa para abordar esta situación y debería buscar dentro de sí mismo las respuestas. Tom debe mantenerse sano para garantizar el florecimiento del negocio.

Pregunta 7: ¿Qué efecto ejercen estos problemas en tu salud?

Respuesta: Ocho de Copas (invertido). Tom no puede abandonar esta situación. Por el momento, se encuentra bien, pero eventualmente el desgaste emocional ejercerá un efecto.

Pregunta 8: ¿Cuáles son los resultados últimos?

Respuesta: Seis de Bastos (invertido). Tom debe cuidar de no tomar decisiones que, en razón de sus dificultades, sean imprudentes. Es importante evitar los reveses, adoptando las medidas oportunas; un empleo negativo de las energías suscitaría problemas aún más graves. Debe prepararse ante demoras y frustraciones hasta que sea capaz de emprender nuevas gestiones.

Comentario: Es difícil separar en casos como estos las cuestiones familiares de las empresariales. Todos deben compartir la culpa cuando surjan problemas. Estos han cobrado tal magnitud que al menos la salud de un miembro y el estado emocional de otro se han visto afectados. El único remedio estriba en «aguardar y ver» lo que suceda; de otro modo, sufrirá las consecuencias la economía de la empresa y perderá todo el mundo.

Problemas familiares para Gerry

CARTAS EN LA TIRADA

1.ª posición	Siete de Copas (invertido)
2.ª posición	El Loco (invertido)
3.ª posición	Nueve de Copas
4.ª posición	Rey de Oros (invertido)
5.ª posición	As de Copas (invertido)
6.ª posición	Caballo de Espadas (invertido)
7.ª posición	Sota de Oros
8.ª posición	Dos de Bastos (invertido)

LECTURA

Pregunta 1: ¿Quién se halla fundamentalmente implicado en el problema?

Respuesta: Siete de Copas (invertido). Gerry se siente en un estado negativo porque no se hallan satisfechos su amor y sus necesidades emocionales. No emplea su capacidad para la visualización creativa, que podría ayudarle a imponerse sobre lo negativo. Hay un potencial de drogas o de alcohol que quizá represente parte del problema en la familia.

Pregunta 2: ¿Qué significa el conflicto en lo que atañe a tu seguridad?

Respuesta: El Loco (invertido). Gerry no desea cometer ninguna estupidez, pero experimenta ansiedad respecto de su situación económica y de su salud. No es beneficioso adoptar una actitud negativa.

Pregunta 3: ¿En qué modo representa una cuestión en el problema la existencia de una conducta disfuncional?

Respuesta: Nueve de Copas. Esta es la carta de los deseos y está del derecho, lo que significa que la persona en cuestión conseguirá lo que anhela. Gerry se mostró complacida al saberlo. Está ganando en sabiduría a través de sus experiencias, y eso puede servirle de ayuda en futuras relaciones. También crece su confianza en lo que se refiere a la vida emocional. Si las drogas o el alcohol se hallan presentes, sabrá cómo hacer frente a la experiencia sin sentirse una víctima. Según se dice, «la experiencia es la mejor maestra».

Pregunta 4: ¿Tuvo esa persona dificultades semejantes en el pasado?

Respuesta: Rey de Oros (invertido). Este naipe indica a alguien perezoso y egoísta, un especulador y carente de un sentido práctico en cuestiones económicas. Es posible que tal persona sea deshonesta y recurra a turbias prácticas financieras. Gerry ve a este individuo de su familia como alguien sensual, amante del lujo y deseoso del placer. Esa persona no está dispuesta a compartir sus recursos, y Gerry se considera desdeñada. Ese individuo no cambiará y Gerry debe tomar sus propias decisiones acerca de lo que le resulte más indicado.

Pregunta 5: ¿Qué medidas conviene adoptar para resolver la cuestión?

Respuesta: As de Copas (invertido). Por el momento, Gerry no advierte nuevos comienzos en su vida. Sufre un desgaste emocional y su amor está convirtiéndose en amargura. Pronto necesitará tomar algunas medidas, debatir sinceramente la cuestión con ese individuo o alejarse. El enfrentamiento es en ocasiones la única manera de resolver una situación.

Pregunta 6: ¿Hay situaciones que deberías evitar?

Respuesta: Caballo de Espadas (invertido). Esta carta anuncia problemas y dificultades. El mensaje, emanado de una fuente de información poco fiable, tal vez concierna a Gerry o quizá no le afecte. Debe evitar la sensación de depresión o considerarse una víctima. Siempre está en su mano abandonar la situación y continuar por su cuenta, lejos de la familia. ¡En cualquier momento es posible cortar los lazos que atan!

Pregunta 7: ¿Qué efecto ejercen estos problemas en tu salud?

Respuesta: Sota de Oros. Esta carta se refiere a una estudiante. Si perfecciona su instrucción, Gerry mejorará su vida y su salud será buena. Ha llegado el momento de concentrarse en algo positivo, que también fortalezca su salud.

Pregunta 8: ¿Cuáles son los resultados últimos?

Respuesta: Dos de Bastos (invertido). Gerry no posee suficiente confianza en sí misma. Necesita más educación; no sabe cuál es su trabajo o su puesto en la sociedad. Tiene miedo de fracasar y quizá requiera retornar a su familia, pero no lo desea. Eso revela que Gerry tiene una mentalidad estrecha, se muestra crítica y posee pocas ambiciones.

Comentario: Al observar las cartas de la tirada y ver que seis se hallan invertidas, el lector comprende que esta persona tiene una perspectiva o una existencia de carácter negativo. Hay temor y culpa dentro de esta mente, lo que empuja a Gerry a ser extremadamente cautelosa en sus acciones. La carencia de confianza en sí misma y un complejo de inferioridad desempeñan asimismo un gran papel en su existencia. La gran pregunta es esta: «¿Cuándo aprenderá Gerry a disfrutar de la vida y a ser feliz?». Tal vez la lectura le aporte algunos conocimientos precisos hasta el punto de cambiar su vida.

TIRADA DE LA SALUD

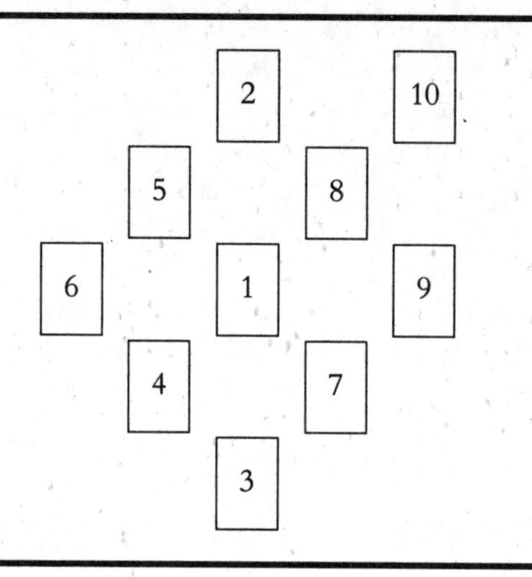

1. ¿Debería preocuparme por mi salud?
2. ¿Cómo he de superar mis temores?
3. ¿Llegaré a ser feliz?
4. ¿Sentimientos previos de culpa y de agravio?
5. ¿Sentimientos previos de depresión o infelicidad?
6. ¿Anteriores problemas de salud?
7. ¿Necesito una atención médica formal?
8. ¿Afectará mi estado físico al económico?
9. ¿Me ayudará una conciencia espiritual a superar algún problema de salud?
10. ¿Resultado?

Tirada de la salud para Cory

CARTAS EN LA TIRADA

1.ª posición	Caballo de Bastos
2.ª posición	Tres de Oros
3.ª posición	El Juicio
4.ª posición	Nueve de Bastos (invertido)
5.ª posición	El Diablo (invertido)
6.ª posición	La Suma Sacerdotisa
7.ª posición	Ocho de Copas (invertido)
8.ª posición	As de Copas (invertido)
9.ª posición	Reina de Bastos (invertida)
10.ª posición	La Estrella

LECTURA

Pregunta 1: ¿Debería preocuparme por mi salud?

Respuesta: Caballo de Bastos. Cory está recibiendo mensajes positivos, sobre todo respecto del trabajo y de las actividades sociales. Su salud es excelente; no hay nada que deba inquietarlo.

Pregunta 2: ¿Cómo he de superar mis temores?

Respuesta: Tres de Oros. Esta es la carta del artífice magistral, que gana dinero porque sobresale en su tarea. Piensa en tu valía a la hora de ganar dinero y no te dejes influir. El número tres alude a la visualización creativa, que cabe emplear para superar cualquier problema o temor.

Pregunta 3: ¿Llegaré a ser feliz?

Respuesta: El Juicio. A Cory corresponde la tarea de hacerse feliz. Debe emplear la conciencia y el entendimiento, y es importante, que mantenga el contacto con su yo interior. Como Cory lo expresa: «Ponerse en pie y salir de la tumba de la ignorancia».

Pregunta 4: ¿Sentimientos previos de culpa y de agravio?

Respuesta: Nueve de Bastos (invertido). Cory afirma que no utilizó la sabiduría lograda en su experiencia en el trabajo y ahora ha llevado a juicio a su empresa por haber sido despedido. Tales circunstancias le han creado algunos problemas de salud, pero no tendrán serias repercusiones. No supo protegerse ante la empresa en su trabajo y padeció los celos de otros empleados. Cory cuenta con muchos clientes seguros que aprecian su dedicación al servicio.

Pregunta 5: ¿Sentimientos previos de depresión o infelicidad?

Respuesta: El Diablo (invertido). Cory no está dispuesto a encadenarse al diablo en aras de un beneficio materialista. Ha estado consagrado a tareas espirituales durante la mayor parte de su vida y se sintió sorprendido cuando le sobrevinieron experiencias negativas. Padece por haber sido objeto de calumnias. También le han deprimido algunos amigos. Los periodos de crisis pueden aliviar el tedio y Cory requería un cambio, tanto si lo advertía como si no se daba cuenta de eso.

Pregunta 6: ¿Anteriores problemas de salud?

Respuesta: La Suma Sacerdotisa. Esta sabe acerca de la cuestión y sobre todo lo demás. Cory disfruta de una salud excelente, sin un historial de enfermedades graves. Puesto que cree en la salud como consecuencia natural de la vida, no ha aportado a su existencia pensamientos negativos acerca de este tema.

Pregunta 7: ¿Necesito una atención médica formal?

Respuesta: Ocho de Copas (invertido). Cuando Cory carece de la fuerza precisa para dar la espalda a una situación emocional, toma una aspirina. Me dijo durante la lectura que bebe un poco para combatir una abundancia excesiva de sentimientos difíciles. Es muy abierto psíquicamente y suele «captar» pensamientos de otras personas. Afirma que la meditación le ayuda a vencer los elementos negativos de su entorno.

Pregunta 8: ¿Afectará mi estado físico al económico?

Respuesta: As de Copas (invertido). Este naipe revela un desgaste emocional y la ausencia de nuevos comienzos. ¡A Cory no le gusta permanecer inactivo! Gracias a su fuerza de voluntad, acometerá nuevas experiencias incluyendo las de carácter económico. Siendo espiritualmente consciente, solo conoce el bien y se halla concentrado en esta actitud.

Pregunta 9: ¿Me ayudará una conciencia espiritual a superar algún problema de salud?

Respuesta: Reina de Bastos (invertida). Cory necesita un reconocimiento de su ego y requiere atención. Se trata de un acuario y este es un naipe leo. (Los dos signos son opuestos). Sus conocimientos espirituales evitan que se desmande en sus deseos y su actitud mantiene en un nivel mínimo los problemas de la salud.

Pregunta 10: ¿Resultado?

Respuesta: La Estrella. Cory debe fijarse nuevos objetivos y «enganchar su carro a una estrella». Ha de elevar sus expectativas de creación de un ambiente saludable. Hay posibilidades de nuevas orientaciones en la vida de Cory.

Comentario: Permanecerá sano a condición de que prosiga en sus inclinaciones espirituales. ¡La prueba ha concluido victoriosamente! Va a matricularse para adquirir una nueva formación en otro campo.

Tirada de la salud para Lacie

CARTAS EN LA TIRADA

1.ª posición	Diez de Copas
2.ª posición	As de Espadas (invertido)
3.ª posición	Tres de Copas (invertido)
4.ª posición	Templanza (invertida)
5.ª posición	La Muerte (invertida)
6.ª posición	Cuatro de Oros (invertido)
7.ª posición	Los Enamorados
8.ª posición	Cinco de Espadas
9.ª posición	Cuatro de Espadas (invertido)
10.ª posición	Siete de Espadas (invertido)

LECTURA

Pregunta 1: ¿Debería preocuparme por mi salud?

Respuesta: Diez de Copas. Lacie experimentará grandes cambios en su existencia por lo que se refiere al amor y a las emociones. Es posible que conozca la alegría en el hogar y con su familia. Requiere una nueva intervención quirúrgica en la espalda (los naipes de espadas y oros pueden indicar problemas de salud y la eventualidad de operaciones). Nada resuelve preocuparse de algo, el remedio estriba en tener fe.

Pregunta 2: ¿Cómo he de superar mis temores?

Respuesta: As de Espadas (invertido). Esta carta no indica nuevos comienzos en problemas porque los antiguos no han concluido. Lacie ha sufrido dos operaciones en el mismo disco intervertebral y ahora necesita una tercera, que es peligrosa. Cualesquiera problemas en la espalda denotan una falta de apoyo. Lacie es capricornio y una persona muy resuelta. El modo de vencer al miedo consiste en tener fe en la propia fuente íntima.

Pregunta 3: ¿Llegaré a ser feliz?

Respuesta: Tres de Copas (invertido). Este naipe denota que Lacie no consigue ser feliz. Padece en sus relaciones unos problemas que son causa de un desgaste emocional con posibles secuelas en lo que atañe a la depresión y la soledad. Lacie y su marido se dedican demasiado a su negocio y no disponen de mucho tiempo para la vida social.

Pregunta 4: ¿Sentimientos previos de culpa y de agravio?

Respuesta: Templanza (invertida). Lacie es harto complaciente consigo misma, inquieta y carece de paciencia. En esta época, sus deseos pueden conducirlo a un despilfarro, una pérdida o un infortunio. Pronto se someterá a la operación de espalda, y su actitud negativa es consecuencia de sentimientos anteriores de culpa y de agravio.

Pregunta 5: ¿Sentimientos previos de depresión o infelicidad?

Respuesta: La Muerte (invertida). Lacie ha pasado de los sesenta y tiene cuatro hijos de su primer matrimonio y tres del segundo. Cuenta con muchos años de experiencia, algunos no demasiado felices y otros por completo deprimentes. Reteniendo estas experiencias negativas, una persona presenta la tendencia a repetirlas. Si Lacie posee una concentración materialista, natural en una Capricornio, debe decidir cuándo se siente bastante segura para relajarse y ser feliz. Sus problemas de espalda, que denotan una falta de apoyo por parte de quienes lo rodean, se iniciaron en el pasado y han vuelto recientemente a manifestarse.

Pregunta 6: ¿Anteriores problemas de salud?

Respuesta: Cuatro de Oros (invertido). Lacie ha conocido otros problemas de salud y visitado con frecuencia al médico. Este naipe indica un potencial para sufrir tales achaques en razón de cuestiones económicas. Pero el dinero no ha sido siempre la causa de sus padecimientos. Lacie presenta una tendencia a tener ideas fijas, se muestra muy tradicional y no comprende que es responsable de su condición.

Pregunta 7: ¿Necesito una atención médica formal?

Respuesta: Los Enamorados. Esta carta se refiere a decisiones que es preciso tomar en relación con cuestiones de la salud. Ha resuelto someterse a una tercera operación en la espalda para aliviar los dolores. Lacie se niega a escuchar cualquier sugerencia alternativa y ha de asumir la responsabilidad de sus acciones.

Pregunta 8: ¿Afectará mi estado físico al económico?

Respuesta: Cinco de Espadas. Por el momento, Lacie no manifiesta una actitud sana. Tiene que atender al público todos los días y mostrar una expresión risueña. Sufre dolores constantes y esa circunstancia la afecta de un modo negativo. Siempre se había revelado cordial con los clientes, pero es difícil hacer gala de amabilidad cuando se padecen esos sufrimientos. Las finanzas de Lacie quedarán influidas desfavorablemente si la operación le obliga a guardar cama por un periodo de tiempo tanto largo como corto. Su marido necesitará a otras personas para que le ayuden a llevar el negocio, lo que reducirá sus beneficios.

Pregunta 9: ¿Me ayudará una conciencia espiritual a superar algún problema de salud?

Respuesta: Cuatro de Espadas (invertido). Este naipe denota que Lacie no comprende sus problemas y dificultades. Trabaja en exceso. Su marido y ella afirman que no han conseguido encontrar a alguien que les ayude eficazmente en su negocio. Ninguno de los dos se interesa por una responsabilidad espiritual o por información de ese carácter susceptible de transformar sus vidas.

Pregunta 10: ¿Resultado?

Respuesta: Siete de Espadas (invertido). Esta carta revela que no surgirá la victoria en lo que se refiere a los problemas de Lacie. La situación sufre un estancamiento y cabe tomar en consideración el potencial de celos y una ausencia de amor y de armonía. Lacie estima que la suya es una relación desgraciada y que quizá nunca dejará de serlo. La vía que sigue es material, lo que muestra una falta de fe en su fuente íntima. Debería reflexionar sobre sus circunstancias y buscar respuestas que tal vez haya pasado por alto. ¡Pueden sobrevenir la paz y la felicidad!

Comentario: Esta situación entre Lacie, su hijo y su marido debe ser resuelta al objeto de que mejore su salud. Lacie y su esposo han de consagrar menos tiempo al trabajo y más al ocio. ¡Es posible que la vida llegue a ser bella cuando reconsideren su estado económico y el tiempo que dedican al trabajo!

UN LADRÓN EN CASA

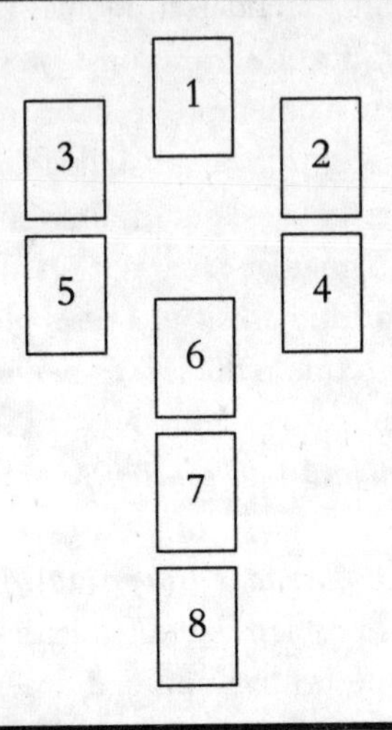

1. ¿Por qué atraje (atrajimos) a un ladrón al hogar?
2. ¿Guarda relación ese ladrón conmigo o con mi cónyuge?
3. ¿Es posible que vuelva?
4. ¿Serviría de algo en el futuro el establecimiento de un sistema de alarma?
5. ¿Qué puedo/podemos hacer para modificar los sentimientos en el hogar?
6. ¿Qué responsabilidades he/hemos pasado por alto?
7. ¿Qué aprendí/aprendimos de esta experiencia?
8. ¿El resultado?

Un ladrón en casa para Stephen

CARTAS EN LA TIRADA

1.ª posición	Dos de Bastos
2.ª posición	Seis de Copas
3.ª posición	El Carro
4.ª posición	Caballo de Oros
5.ª posición	Reina de Espadas
6.ª posición	El Sol
7.ª posición	Tres de Copas
8.ª posición	Ocho de Bastos (invertido)

LECTURA

Pregunta 1: ¿Por qué atraje (atrajimos) a un ladrón al hogar?
Respuesta: Dos de Bastos. Stephen domina su trabajo y la vida social. Tiene el mundo en sus manos y se ha esforzado por lograr la posición que ocupa, pero quizá tema que no merece todo lo que le ha llegado.

Pregunta 2: ¿Guarda relación ese ladrón conmigo o con mi cónyuge?
Respuesta: Seis de Copas. Stephen piensa que el ladrón es un individuo al que conoce y que se halla lejanamente relacionado con su esposa. Este naipe puede indicar a alguien que retorna del pasado y tal vez fuese un pariente. Entregó a esa persona una llave de su casa y esa fue una acción irresponsable. Stephen y su esposa necesitan ser más cuidadosos y responsables en el futuro.

Pregunta 3: ¿Es posible que vuelva?
Respuesta: El Carro. Esta carta denota victoria gracias al control de los deseos propios y a una orientación mental. Stephen tendrá éxito. Debe meditar y orientarse hacia su yo superior para averiguar en primer lugar por qué atrajo al ladrón. Eso puede tener resultados positivos con los que superar experiencias negativas.

Pregunta 4: ¿Serviría de algo en el futuro el establecimiento de un sistema de alarma?

Respuesta: Caballo de Oros. Este naipe aporta mensajes positivos referentes al dinero. Si Stephen y su esposa quieren montar un sistema de alarma, contarán con los fondos precisos. Pero tal sistema resultará inútil de proseguir entregando las llaves a cualquiera.

Pregunta 5: ¿Qué puedo/podemos hacer para modificar los sentimientos en el hogar?

Respuesta: Reina de Espadas. Esta carta alude a problemas y a menudo indica a una mujer divorciada o viuda. Stephen está casado con una divorciada de la que espera ahora su primer hijo. Ambos se sienten atropellados por el ladrón y tratan de decidir lo que deben hacer. Quizá el matrimonio no es tan fácil como tendría que ser y ambos cónyuges sienten la presión de tal circunstancia. Es el momento de que consideren sus sentimientos y sean mutuamente sinceros.

Pregunta 6: ¿Qué responsabilidades he/hemos pasado por alto?

Respuesta: El Sol. Stephen necesita confianza en la capacidad para desarrollar su vida. Debe mostrarse receptivo a nuevas ideas y tener el valor de llevarlas a la práctica. Ha de buscar la verdad, emplear su talento creativo y aportar ahora el éxito a su existencia.

Pregunta 7: ¿Qué aprendí/aprendimos de esta experiencia?

Respuesta: Tres de Copas. Esta carta guarda relación con un embarazo, una celebración y el buen uso de talentos creativos. Stephen siente el deseo de ser feliz y de disfrutar de su matrimonio mientras aguarda la llegada de su primer hijo. Sus emociones son positivas y quiere a su esposa. La lección estriba en aprender a pensar de un modo positivo y a mostrarse responsable.

Pregunta 8: ¿El resultado?

Respuesta: Ocho de Bastos (invertido). Stephen carece de fuerza en su vida social y laboral y estima que las demoras y los reveses de su existencia le impiden alcanzar el triunfo. Se siente inseguro y no revela equilibrio en sus reflexiones. Se obsesionó en la atribución de la culpa a una persona y no quería oír hablar de la posibilidad de que fuese otra quien cometió el robo.

Comentario: Por desgracia, y desde que se practicó esta lectura, Stephen ha vuelto a ser víctima de un robo. Se consagra a la curación de otros y ha trabajado muy de firme en su carrera para conseguir el éxito. Pasa de los cuarenta años y este es su primer matrimonio, eventualidad con la que no había contado. Como premio adicional, ha tenido un hijo y en menos de un año su vida ha cambiado de un modo espectacular. Stephen se enfrenta ahora con nuevas responsabilidades que quizá se le antojen abrumadoras. Conseguirá salir delante de la mejor manera si se otorga la oportunidad.

TIRADA DE LOS OBJETOS PERDIDOS

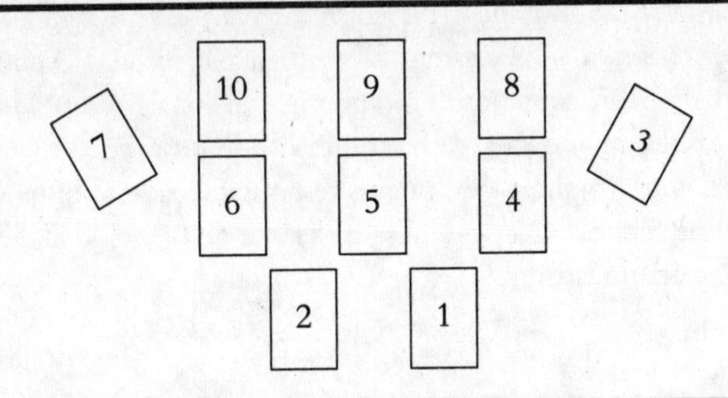

1. ¿Qué se ha perdido?
2. ¿Cuándo descubriste su desaparición?
3. ¿Cuándo fue la última vez que viste ese objeto?
4. ¿Es posible que lo hubieses dejado en otro sitio?
5. ¿Deberías recurrir a la policía?
6. ¿Te sientes culpable o responsable de la pérdida del objeto?
7. ¿Poseía un valor sentimental?
8. ¿Tenía un valor económico?
9. ¿Dispones de algún seguro respecto de la pérdida de propiedades?
10. ¿Aparecerá pronto?

Capítulo 4

Grandes finanzas

En este capítulo, todas las tiradas conciernen de una manera o de otra a la situación económica de una persona.

Las tiradas son las de:

Negocios
Carrera profesional
Pleito
Dinero
Trabajo
Cuestiones legales

En el momento en que se relataron los casos, todos los individuos implicados en estas tiradas seguían tratando de resolver sus problemas. El caso del «Pleito» continuaba, los interrogadores de la «Tirada de los negocios» se afanaban en sus quehaceres y los individuos de la «Tirada del dinero» proseguían su pugna. Solo el tiempo dirá si esos seres logran superar sus dilemas.

La tirada de «Cuestiones legales» carece de una muestra de lectura y puedes poner a prueba tus destrezas al respecto. Cuando fue desarrollada esta tirada, no existía una persona disponible que estuviera implicada en trámites de ese carácter.

TIRADA DE LOS NEGOCIOS

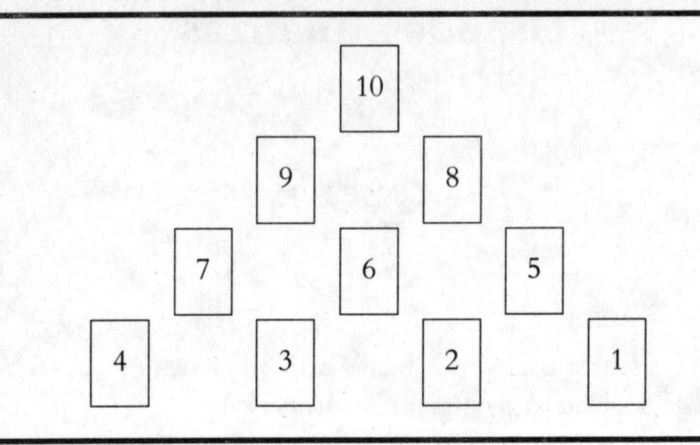

1. ¿Debería montar mi propio negocio?
2. ¿Debería asociarme con alguien?
3. ¿Responderá el público a mi producto?
4. ¿Será difícil el trabajo?
5. ¿Necesito realizar ahora algunos cambios?
6. ¿Hay responsabilidades que haya pasado por alto?
7. ¿Tendré éxito?
8. ¿Haré dinero con este negocio?
9. ¿Qué método de publicidad tendría que emplear?
10. ¿Resultado final?

Tirada de los negocios para Sam

CARTAS EN LA TIRADA

1.ª posición	Reina de Oros
2.ª posición	Reina de Bastos
3.ª posición	Sota de Espadas (invertida)
4.ª posición	Nueve de Copas
5.ª posición	El Ermitaño
6.ª posición	Siete de Oros (invertido)
7.ª posición	Rey de Bastos (invertido)
8.ª posición	Dos de Copas
9.ª posición	Sota de Oros
10.ª posición	El Loco (invertido)

LECTURA

Pregunta 1: ¿Debería montar mi propio negocio?

Respuesta: Reina de Oros. Esta carta alude a ganar dinero y a la formulación de opiniones críticas. Sam ha fundado su propia empresa, que exige mucho de él en tiempo y en esfuerzos.Ya le ha creado un problema de salud, por fortuna superado.

Pregunta 2: ¿Debería asociarme con alguien?

Respuesta: Reina de Bastos. Sam tiene dos socios y no se halla a gusto en esta situación. Un socio podría estar bien, pero no dos. Sam es ambicioso y busca el triunfo en su trabajo y en la vida social. Su ego necesita hallarse implicado en la empresa y desea admiración y atención.

Pregunta 3: ¿Responderá el público a mi producto?

Respuesta: Sota de Espadas (invertida). Este naipe indica que Sam no presta cuidado a sus problemas. El público ha reaccionado favorablemente ante sus productos y el negocio se desarrolla bien. Sam siente ansiedad y anhela el éxito, mas parece desatender su vida personal.

Pregunta 4: ¿Será difícil el trabajo?

Respuesta: Nueve de Copas. Esta es la carta de los deseos, y cuando aparece del derecho en una tirada señala el otorgamiento de lo anhelado. Sam posee suficiente confianza en su actividad y es capaz de dedicar periódicamente muchas horas a la tarea. Hay otras personas en la empresa que laboran a jornada completa o parcial. El trabajo no es en sí mismo difícil.

Pregunta 5: ¿Necesito realizar ahora algunos cambios?

Respuesta: El Ermitaño. Sam tuvo un negocio durante treinta años, aunque correspondía a un campo distinto. Obtuvo conocimientos a través de tal experiencia y puede aplicar algunos al nuevo empeño. Los socios están ampliando el local para acoger a más clientes y en consecuencia realizan ahora cambios. Sam es un Aries, y estas personas suelen tener buenas ideas, pero no siempre acaban lo que empezaron.

Pregunta 6: ¿Hay responsabilidades que haya pasado por alto?

Respuesta: Siete de Oros (invertido). Esta carta denota una vía insegura hacia el dinero. Por añadidura, el número siete puede aludir a cuestiones legales. Esta empresa es susceptible de padecer tropiezos por obra de una falta de confianza o de la sensación de la ausencia del apoyo preciso. Sam debe aceptar la responsabilidad, pero también ha de compartirla con los otros socios. Es posible que ahora surjan entre ellos cicaterías y celos.

Pregunta 7: ¿Tendré éxito?

Respuesta: Rey de Bastos (invertido). Este naipe es un Aries, como Sam. Si se muestra pueril, egoísta, dominante, un pequeño tirano en suma, los otros socios reaccionarán en contra de él. La existencia de problemas en las relaciones, de autoritarismo y terquedad, no favorecerá el éxito. Han de trabajar unidos en aras de sus intereses comunes.

Pregunta 8: ¿Haré dinero con este negocio?

Respuesta: Dos de Copas. Sam es consciente de sus emociones y de su capacidad de amar. Comprende que una buena relación aporta un ambiente propicio. Con ese conocimiento y su dedicación, podría prosperar ese negocio que ha demostrado su potencial en los últimos años.

Pregunta 9: ¿Qué método de publicidad tendría que emplear?

Respuesta: Sota de Oros. Este naipe es un Capricornio, el del estudiante que acude a una escuela para adquirir una formación profesional. Capricornio y Aries (Sam) son capaces de operar muy bien de consuno. Tierra y fuego. La acción corre a cargo del fuego y la tierra se encarga de arreglar las cosas. Capricornio se concentra en materias económicas y Aries, en términos generales, posee grandes ideas acerca del modo de ganar dinero. Cabe utilizar el método de enviar mensajes a escuelas y lugares que frecuenten los jóvenes. Otro sería el de la tirada de folletos. Una tercera posibilidad estriba en contratar a muchachos que atiendan a la clientela. La solución consiste en probar diversos sistemas hasta averiguar cuál es el que funciona.

Pregunta 10: ¿Resultado final?

Respuesta: El Loco (invertido). Esta carta alude al equilibrio. Sam ha de contrapesar sus placeres, sus necesidades sexuales y cualesquiera otros anhelos. Debe frenar sus ansiedades, tener fe en el futuro, actuar con madurez y mostrarse responsable si pretende que su negocio triunfe. Le inquieta ser víctima de un engaño.

Comentario: La compañía de Sam opera muy bien. Los problemas parecen proceder de las relaciones. Si esos tres socios no resuelven sus dificultades, quedarán muy limitadas las posibilidades de éxito. La vida radica en la armonía de unas personas que coexistan y trabajen unidas. Confiemos en que esos tres aprendan pronto tal lección.

Tirada de los negocios para Donald

CARTAS EN LA DISTRIBUCIÓN

1.ª posición	Cinco de Copas
2.ª posición	Diez de Bastos
3.ª posición	Cinco de Bastos
4.ª posición	La Torre
5.ª posición	El Mundo
6.ª posición	La Estrella
7.ª posición	El Juicio
8.ª posición	La Rueda de la Fortuna
9.ª posición	Siete de Bastos
10.ª posición	Nueve de Bastos (invertido)

LECTURA

Pregunta 1: ¿Debería montar mi propio negocio?

Respuesta: Cinco de Copas. Don cree en el amor, pero el suyo no está basado en la verdad. Existe un potencial de efectos desfavorables a causa de las tensiones en el negocio. Don creó su propia empresa hace varios años y dedica muchas horas a su tarea. No está seguro de que deba mantener la compañía si eso le cuesta su matrimonio.

Pregunta 2: ¿Debería asociarme con alguien?

Respuesta: Diez de Bastos. Tal vez Don podría contar con un socio con el que compartir las cargas de la empresa. Esta carta anuncia en su existencia grandes cambios que podrían suponer la adopción de otros métodos empresariales o el aprovechamiento de nuevas oportunidades. Cabe también la eventualidad de que se torne más activa la vida social de Don.

Pregunta 3: ¿Responderá el público a mi producto?

Respuesta: Cinco de Bastos. Don cree en su trabajo, pero su ego puede causarle algunos problemas. Quiere imponer sus opiniones y, si resuelve tener un socio, tal vez surjan conflictos referentes a la voluntad y el ego. Don logra buenos productos y se siente orgulloso de su compañía.

Pregunta 4: ¿Será difícil el trabajo?

Respuesta: La Torre. Debe desembarazarse de ideas falsas y de hábitos antiguos. Por el momento, el trabajo no resulta difícil, mas podría llegar a serlo con los complementos que Don pretende introducir. Eso crearía más enfrentamientos y disensiones dentro del hogar y con el resto de la familia.

Pregunta 5: ¿Necesito realizar ahora algunos cambios?

Respuesta: El Mundo. Don haría bien en comprender que alcanza triunfos y logros en todos sus empeños. Si supiera que cuenta con el respaldo de su fuente interior, conseguiría relajarse y sería posible que disfrutase ahora de los frutos de su empeño. He aquí los cambios que debe llevar a cabo: tener más fe en sí mismo, equilibrarse mejor y confiar en su capacidad para vencer.

Pregunta 6: ¿Hay responsabilidades que haya pasado por alto?

Respuesta: La Estrella. Este naipe se refiere a objetivos en el futuro. Quizá necesite Don fijarse nuevas metas, aceptar otras oportunidades y ser optimista respecto del porvenir. Sus vínculos plantean asimismo unas obligaciones que es preciso tomar en consideración. No es una actitud positiva el triunfo a costa de las relaciones.

Pregunta 7: ¿Tendré éxito?

Respuesta: El Juicio. Don posee un potencial de vencedor. Con una nueva comprensión crecerá la confianza en sí mismo. La salud de Don mejorará con la conciencia de semejante potencial. Puede que mude de residencia, realice un viaje o que simplemente aprenda a relajarse. La aceptación de nuestra fuente interior y el conocimiento de que siempre será beneficiosa aportará alegría y felicidad a la existencia.

Pregunta 8: ¿Haré dinero con este negocio?

Respuesta: La Rueda de la Fortuna. Es la época indicada para que Don corra un albur, apueste por algo, realice cambios, busque nuevas experiencias y disfrute de la familia y de otras relaciones. Ha de mostrarse positivo a lo largo de este periodo y de tal modo permanecerá sano y hará dinero.

Pregunta 9: ¿Qué método de publicidad tendría que emplear?

Respuesta: Siete de Bastos. Esta carta señala que Don debería fiarse de su propio criterio. Desea dar expresión a su ego en el trabajo o en los acontecimientos sociales. Don preferiría anunciarse en una revista y el reparto de hojas publicitarias. Debe confiar en sus decisiones personales acerca de esta cuestión.

Pregunta 10: ¿Resultado final?

Respuesta: Nueve de Bastos (invertido). Don debe tener un mayor grado de confianza en su negocio y en sí mismo. Podría ser objeto de explotación por parte de individuos ajenos o incluso de su familia. Quizá tropiece con los celos y las reacciones negativas de quienes le rodean.

Comentario: El éxito está aquí, pero Don tiene que advertir que lo merece.

TIRADA DE LA CARRERA PROFESIONAL

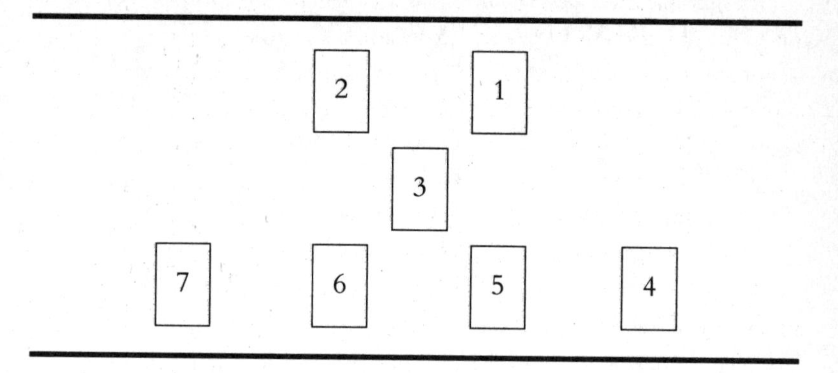

1. ¿Es esta carrera que he elegido la que verdaderamente deseo?
2. ¿Qué pasos debo dar para mejorar mi carrera?
3. ¿Hay aspectos de mi carrera que no puedo cambiar?
4. ¿Considero que estoy haciendo lo óptimo en mi carrera?
5. ¿Qué cambios soy capaz de realizar personalmente en favor de mi carrera?
6. ¿Qué obstáculos del pasado afectan ahora a mi carrera?
7. ¿Resultado?

La tirada de la carrera profesional para Janice

CARTAS EN LA TIRADA

1.ª posición	El Carro
2.ª posición	Cinco de Espadas
3.ª posición	La Luna
4.ª posición	Caballo de Copas
5.ª posición	Nueve de Copas (invertido)
6.ª posición	La Suma Sacerdotisa (invertida)
7.ª posición	El Emperador

LECTURA

Pregunta 1: ¿Es esta carrera que he elegido la que verdaderamente deseo?

Respuesta: El Carro. El camino que Janice tomó en su carrera fue elegido por ella. Mentalmente, se orientó en la dirección que prefería. Janice disfruta de su trabajo.

Pregunta 2: ¿Qué pasos debo dar para mejorar mi carrera?

Respuesta: Cinco de Espadas. Janice entiende sus problemas y dificultades y los aporta constantemente a su existencia, sobre todo en el trabajo. Ha de controlar su manera de expresarse y su temperamento para obtener resultados mejores. Es posible que a otros se les antoja agresivo su modo de proceder. Debe aprender a equilibrar las necesidades de su ego con paciencia y comprensión.

Pregunta 3: ¿Hay aspectos de mi carrera que no puedo cambiar?

Respuesta: La Luna. Este naipe denota ciclos de progreso y de logros. Quizá viva Janice en un mundo de fantasías y de ilusiones y sus emociones sean desmesuradas. Cuando una persona ocupa un puesto oficial, como es su caso, no puede realizar cambios profesionales a su capricho; ha de someterse a exámenes, y sus traslados solo serán posibles cuando haya puestos vacantes.

Pregunta 4: ¿Considero que estoy haciendo lo óptimo en mi carrera?

Respuesta: Caballo de Copas. Llegan a Janice mensajes cariñosos reveladores de que está desempeñando una buena tarea. En su departamento rige las actividades de cincuenta individuos y la mayoría consideran que se comporta de un modo deferente y considerado. Si siente inseguridad acerca de cómo proceder de una manera óptima, se trata de un problema suyo.

Pregunta 5: ¿Qué cambios soy capaz de realizar personalmente en favor de mi carrera?

Respuesta: Nueve de Copas (invertido). Janice experimenta muchos deseos concernientes a su trabajo, pero no se materializarán por el momento. Padece también una falta de sabiduría en el amor que afecta a su estado emocional. Janice necesita tener más fe en sí misma a la hora de tratar con otras personas. Sería conveniente que quisiera y aceptara a otros y a ella misma.

Pregunta 6: ¿Qué obstáculos del pasado afectan ahora a mi carrera?

Respuesta: La Sacerdotisa (invertida). Este naipe del revés denota una mentalidad estrecha y el miedo a nueva información. Tal vez Janice no quiera saber la verdad, conocer algo acerca del futuro o recibir información respecto de sí misma. Puede mostrarse testaruda, superficial y obstinada. De niña no se sintió respaldada por sus padres y resolvió demostrarles que era capaz de lograr el éxito, como así ha sido. Ya murieron sus progenitores, pero es difícil romper con los viejos hábitos. Esta carta, cuando aparece en una tirada destinada a una mujer, quizá indique una necesidad de aceptar el aspecto de dependencia de su propia naturaleza para crearse un equilibrio íntimo.

Pregunta 7: ¿Resultado?

Respuesta: El Emperador. Este personaje figura en algunas barajas del Tarot dispuesto para la guerra, pero se halla sentado pasivamente. Comprende que siempre puede luchar, pero reflexionará antes de tomar ninguna decisión al respecto. Este es un buen consejo para Janice. Se trata de una mujer madura, de hijos ya mayores, y posee un gran conocimiento de la vida. La madurez sobreviene a través de la experiencia y después de la aplicación del saber conseguido. El área profesional suele estar regida por la población masculina, y así sucede en el caso de Janice. Para ella, el cambio solo acontecerá si su jefe es trasladado o fallece. ¡Janice debe disfrutar de su vida y sentirse orgullosa de su posición porque ha recorrido un largo camino!

Comentario: Janice ha hecho muchas cosas en su existencia. Crió a dos hijos sin la ayuda de su ex marido y concluyó su educación mientras trabajaba. Ahora tiene un buen empleo como contable titulada. Merece sentir respeto por sí misma. ¡Cuenta con el mío!

La tirada de la carrera profesional para Harvey

CARTAS EN LA DISTRIBUCIÓN

1.ª posición	Cuatro de Bastos
2.ª posición	El Juicio
3.ª posición	Sota de Espadas
4.ª posición	La Suma Sacerdotisa (invertida)
5.ª posición	El Mago (invertido)
6.ª posición	El Ahorcado
7.ª posición	Tres de Bastos

LECTURA

Pregunta 1: ¿Es esta carrera que he elegido la que verdaderamente deseo?

Respuesta: Cuatro de bastos. Esta carta indica una vida fructífera, matrimonio y un equilibrio en el trabajo y en la vida social. Siendo un Aries, Harvey no gusta de hallarse atado durante mucho tiempo a un lugar. Cree que sus decisiones no son siempre productivas o equilibradas. En el último año ha conocido muchos cambios de empleo y no se ha concentrado en objetivos futuros.

Pregunta 2: ¿Qué pasos debo dar para mejorar mi carrera?

Respuesta: El Juicio. La conciencia y el despertar a la realidad forman parte del naipe del Juicio. Harvey debería aprender cuanto fuera posible acerca de su trabajo y así obtendrá la recompensa. ¡Es impaciente, otro rasgo de Aries, y desea experimentar todo ahora mismo! Tendría que prestar atención a su yo íntimo; el entendimiento no sobreviene de la mañana a la noche.

Pregunta 3: ¿Hay aspectos de mi carrera que no puedo cambiar?

Respuesta: Sota de Espadas. Esta carta denota que Harvey no prestará atención a sus problemas sino que tratará de resolver las dificultades de otros. Puede ser amigo del mundo entero. ¿Mas a qué precio? Con objeto de realizar cualesquiera cambios en su existencia, debe actuar primero sobre sí mismo. Esta sota indica que Harvey no es tan maduro como piensa. Tal vez obtendrá la madurez mostrándose más responsable ante sus propias necesidades. El cambio es tan natural como la respiración y sobrevendrá a pesar de lo que una persona crea.

Pregunta 4: ¿Considero que estoy haciendo lo óptimo en mi carrera?

Respuesta: La Suma Sacerdotisa (invertida). Este naipe deduce que Harvey ignora si está haciendo lo mejor. Quizá no se muestre receptivo a una nueva información, tendiendo a adoptar ante esta una mentalidad estrecha o cargada de prejuicios. La Suma Sacerdotisa invertida puede señalar miedo, culpa y una resistencia a penetrar en sí mismo para hallar la verdad. Harvey observó que pensaba que no iba a ninguna parte. Con semejante actitud no sacaba el mejor partido de su trabajo en razón de una falta de confianza en sí mismo o de estimación de su persona.

Pregunta 5: ¿Qué cambios soy capaz de realizar personalmente en favor de mi carrera?

Respuesta: El Mago (invertido). Harvey considera que no existen nuevos comienzos en cualquier dirección y se siente frustrado. Le agradaría forzar la situación y, gracias a su propia voluntad, lograr que tuvieran lugar acontecimientos. Esto no es positivo por el momento. Harvey anhela un nuevo empleo, pero debe aguardar hasta que haya algo disponible en su campo. He aquí un cambio importante que es capaz de realizar: controlar su vehemencia.

Pregunta 6: ¿Qué obstáculos del pasado afectan ahora a mi carrera?

Respuesta: El Ahorcado. Este es el símbolo del cordero del sacrificio. En torno de este naipe existe una actitud neptuniana que podría ser indicio de que Harvey se halla en el reino de las fantasías y de las ilusiones. Aún sigue enfrentándose a sus antiguos hábitos y quizá sea presa del alcohol, de las drogas o del sentimiento de ser una víctima o un mártir. La meditación —calmar su mente con el fin de advertir la verdad— contribuiría a que pudiese abordar esos obstáculos.

Pregunta 7: ¿Resultado?

Respuesta: Tres de Bastos. Esa carta es un signo de la eventualidad de que constituya una respuesta la visualización creativa. Viene a declarar: «Hago o creo mi trabajo y mis actividades sociales». Harvey pretende una pareja en su vida personal, pero no advierte la posibilidad de su llegada en un próximo futuro.

Comentario: Esta lectura parece poner de relieve la visualización creativa y Harvey se beneficiaría tal vez de esa actividad. Es difícil que un Aries permanezca inmóvil durante cualquier periodo de tiempo, pero la recompensa podría constituir un incentivo. Cuanto más se implique Harvey en su propia vida, tanto mejor será para él. Desde que fue realizada esta lectura, Harvey ha ocupado tres empleos diferentes, tenido varias novias y cumplido treinta años.

La tirada de la carrera profesional para Linda

CARTAS EN LA TIRADA

1.ª posición	Fuerza (invertida)
2.ª posición	Caballo de Oros (invertido)
3.ª posición	Cuatro de Oros
4.ª posición	El Mundo (invertido)
5.ª posición	Nueve de Bastos
6.ª posición	La Suma Sacerdotisa
7.ª posición	Tres de Bastos (invertido)

LECTURA

Pregunta 1: ¿Es esta carrera que he elegido la que verdaderamente deseo?

Respuesta: Fuerza (invertida). Linda considera que carece de fortaleza para superar las dificultades. Quizá se sienta perezosa, se niegue a sí misma una buena vida y tenga una escasa estimación de su persona. No se halla concentrada en una carrera y desempeña un empleo que no le agrada.

Pregunta 2: ¿Qué pasos debo dar para mejorar mi carrera?

Respuesta: Caballo de Oros (invertido). Necesita buscar un nuevo empleo mientras ocupa el presente. Aguarda noticias acerca del dinero, que no recibirá. De llegar, los mensajes en nada se referirán al dinero. Cuanto más espere Linda, más deprimida se tornará.

Pregunta 3: ¿Hay aspectos de mi carrera que no puedo cambiar?

Respuesta: Cuatro de Oros. Tiene que comprender que se concentra en el dinero y no en su trabajo. Debería entender que cuando alguien realiza la tarea que le agrada, sobrevendrá el dinero.

Pregunta 4: ¿Considero que estoy haciendo lo óptimo en mi carrera?

Respuesta: El Mundo (invertido). Esta carta no revela éxito o ganancia material en el periodo presente. Linda sabe que no hace cuanto puede en el trabajo. Carece de visión, teme el cambio, se siente frustrada y estima que no obtiene el respaldo que anhela. Es una Piscis, que revela ilusiones y fantasías como parte de sus reflexiones. Se muestra además manifiestamente emocional.

Pregunta 5: ¿Qué cambios soy capaz de realizar personalmente en favor de mi carrera?

Respuesta: Nueve de Bastos. Ha ganado conocimiento a través de la experiencia en su trabajo y en la vida social. Sabe también cómo protegerse en ambas áreas de su existencia. Tiene que encontrar un empleo que le guste, utilizar su inteligencia y considerar que no debe hallarse siempre a la defensiva.

Pregunta 6: ¿Qué obstáculos del pasado afectan ahora a mi carrera?

Respuesta: La Suma Sacerdotisa. Percibe que conoce los secretos del universo. Desea una relación que la respalde, nutra y cuide. Al hablar de los años de su niñez, Linda se mostró nerviosa y trastornada. Era evidente que todavía operaba conforme a hábitos antiguos. Posee grandes expectativas, pero se las niega porque le parece que no merece lo mejor. Linda debe manifestar su perdón a sí misma y a otros; eso cambiará su existencia.

Pregunta 7: ¿Resultado?

Respuesta: Tres de Bastos (invertido). Opina que no es ella quien realiza su propio trabajo o su vida social. Carece de fe en su capacidad de creación y no goza de equilibrio. Este naipe se refiere a la visualización creativa y Linda no debería tropezar con dificultades al respecto. Tiene que tomar decisiones respecto de su carrera y de la dirección que desea seguir. Gracias a la visualización creativa, alcanzará pronto sus objetivos. Pero Linda debe mantenerse alejada del alcohol y de las drogas, puesto que los piscis se hallan desde su nacimiento en el reino de la fantasía y de las ilusiones.

Comentario: Linda parece anhelante de cariño. Posee una fe o una confianza escasas en las relaciones, lo que afecta asimismo a su trabajo. Como piscis, es extremadamente psíquica pero no utiliza su talento para su propio bien. Cuando entienda que sus experiencias y actitudes previas al respecto son causa de obstáculos, conseguirá perdonarse y hallará el éxito.

TIRADA DEL PLEITO

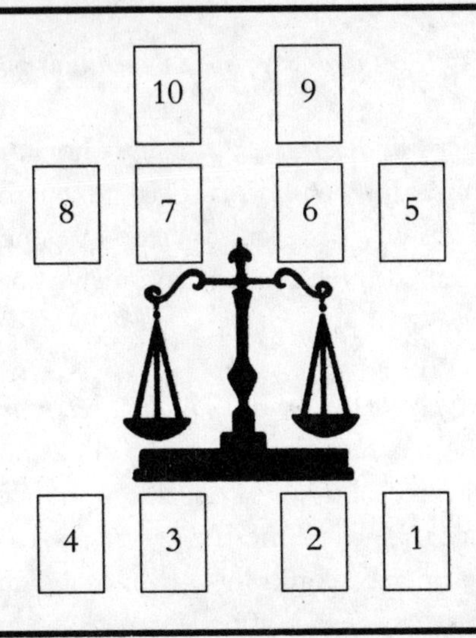

1. ¿Qué te preocupa con respecto a tu posición?
2. ¿Cuál es el conflicto que crea tu inseguridad?
3. ¿Existe un temor a la oposición?
4. ¿Son honrados tus motivos?
5. ¿Qué cambios te gustaría realizar ahora?
6. ¿Es tu abogado formal y responsable?
7. ¿Te ves ganando el pleito?
8. ¿Habrá una recompensa económica?
9. ¿Cuánto tiempo queda hasta que se dicte sentencia?
10. ¿Resultado final?

Tirada del pleito para Kent

CARTAS EN LA TIRADA

1.ª posición	Rey de Oros
2.ª posición	Tres de Bastos
3.ª posición	El Loco
4.ª posición	Siete de Espadas
5.ª posición	As de Copas
6.ª posición	Siete de Copas
7.ª posición	El Juicio (invertido)
8.ª posición	Reina de Bastos
9.ª posición	La Emperatriz
10.ª posición	Cinco de Bastos

LECTURA

Pregunta 1: ¿Qué te preocupa con respecto a tu posición?

Respuesta: Rey de Oros. Esta es una carta Tauro y se refiere al dinero. En cierto sentido, Kent considera que su abogada controla el aspecto económico del caso. Le parece que ejerce el poder y que opera por su cuenta. Le inquieta el desenlace y si llegará a ganar el proceso.

Pregunta 2: ¿Cuál es el conflicto que crea tu inseguridad?

Respuesta: Tres de Bastos. Este naipe exige una visualización creativa. El juicio ha conocido diversos aplazamientos que han puesto nervioso a Kent. Le gustaría que todo concluyese pronto. El Tres de Bastos sugiere más comunicación entre él y su abogada. Puede sentirse deprimido si se considera ignorado y no consigue saber qué es lo que está sucediendo.

Pregunta 3: ¿Existe un temor a la oposición?

Respuesta: El Loco. Sería estúpido que Kent no prestara atención a la parte adversaria. Hay tres procedimientos legales concernientes a la cuestión. Kent se halla ausente ocupado en otros afanes, pero el perro que mordisquea las pantorrillas del Loco le advierte que debe prestar atención a su caso. La oposición ha recurrido a todas las tácticas dilatorias posibles y Kent debe mostrarse firme en su idea de que al final ganará.

Pregunta 4: ¿Son honrados tus motivos?

Respuesta: Siete de Espadas. Kent estima que lo primero estriba en que quede limpia su reputación. Fue maliciosamente acusado y juzga que su patrono es inmoral. Durante casi dos años, Kent ha padecido bastantes problemas y dificultades que han afectado de modo negativo a su actitud mental. Entiende su participación en la experiencia y que contribuyó a crearla.

Pregunta 5: ¿Qué cambios te gustaría realizar ahora?

Respuesta: As de Copas. Hay algunos nuevos comienzos en el amor y en las emociones. Gracias a la voluntad de Kent, son posibles una mudanza a una nueva casa, una comprensión mayor del trabajo espiritual o alguna orientación intuitiva. Ahora se concentra fundamentalmente en el aprendizaje de nuevas destrezas.

Pregunta 6: ¿Es tu abogado formal y responsable?

Respuesta: Siete de Copas. Esta es la vía de la visualización creativa. Juzga que su abogada es muy competente. Mentalmente, se considera capaz de realizar muchas cosas cuando gane el proceso. Kent tiene fe en su abogada y en su capacidad para realizar un trabajo a conciencia.

Pregunta 7: ¿Te ves ganando el pleito?

Respuesta: El Juicio (invertido). En razón del último aplazamiento, Kent se ha sentido un tanto alarmado. Existe una falta de conciencia de la situación o no presta demasiada atención a su yo interior. Tiene que ser fiel a su visión de una victoria procesal y no renunciar a esa idea hasta haber ganado.

Pregunta 8: ¿Habrá una recompensa económica?

Respuesta: Reina de Bastos. Sí. Esta carta indica que llegará dinero a Kent, posiblemente en agosto, a través de su pleito. Asimismo obtendrá reconocimiento y atención. Es posible que mejore su vida social.

Pregunta 9: ¿Cuánto tiempo queda hasta que se dicte sentencia?

Respuesta: La Emperatriz. Parte del pleito de Kent podría concluir en octubre y la otra haber acabado en mayo siguiente. Él conseguirá contribuir a esta decisión a través de la visualización creativa. La Emperatriz logra que todo suceda por obra de Venus, el planeta del amor. Será un alivio para Kent dejar atrás esta experiencia.

Pregunta 10: ¿Resultado final?

Respuesta: Cinco de Bastos. Este naipe muestra a Kent diciendo: «Creo en mi voluntad y en mi manera de actuar en el trabajo o en la vida social». Reviste importancia la fe en su causa en este momento. ¡El tribunal resolverá muchos factores del proceso, pero él tiene que prestar atención a su papel en el drama!

Comentario: La visualización creativa, que Kent lleva a cabo de un modo regular, parece constituir la clave de esta tirada. La mitad de las cartas se refieren a otras personas en su existencia y su influencia puede ser positiva o negativa. Kent debe mostrarse cuidadoso con los detalles y no permitirse distracción alguna. En términos generales, la tirada es positiva, puesto que la mayoría de los naipes se hallan del derecho. ¡Desde que se realizó esta lectura, Kent ha ganado su pleito y es feliz!

TIRADA DEL DINERO

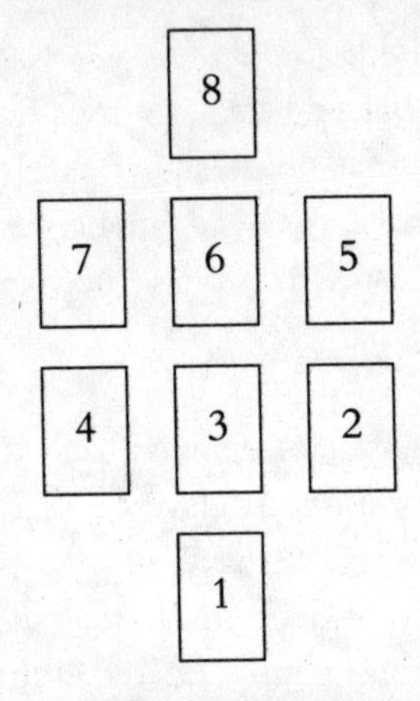

1. ¿Preocupaciones respecto del dinero?
2. Deseo de contar ahora con una seguridad económica.
3. ¿Cómo puedo lograr el dinero que me haga feliz?
4. ¿Actitudes previas respecto del dinero?
5. ¿Cuestiones referentes a la responsabilidad respecto de un bienestar económico?
6. ¿Nuevos proyectos de inversiones financieras o de ahorro?
7. ¿Qué planes futuros concibo en relación con el dinero?
8. ¿Qué habilidades especiales poseo para hacer dinero?

Tirada del dinero para Robert

CARTAS EN LA TIRADA

1.ª posición	Dos de Oros
2.ª posición	El Emperador (invertido)
3.ª posición	Cuatro de Bastos (invertido)
4.ª posición	Cuatro de Oros (invertido)
5.ª posición	Sota de Oros
6.ª posición	Rey de Espadas (invertido)
7.ª posición	Los Enamorados
8.ª posición	La Muerte (invertida)

LECTURA

Pregunta 1: ¿Preocupaciones respecto del dinero?
Respuesta: Dos de Oros. Robert dice que no sabe cómo equilibrar su situación monetaria. Aguarda a que cambien sus perspectivas económicas para poder sentirse a gusto. Invirtió alguna suma y ahora se siente inquieto porque no tiene buenas noticias respecto de su inversión.

Pregunta 2: Deseo de contar ahora con una seguridad económica
Respuesta: El Emperador (invertido). En su afán por conseguir una seguridad económica, Robert invirtió en unas acciones poco fiables. Ahora se siente temeroso y deprimido por culpa de su decisión. No comprende que es materialista y que ha hecho del dinero su dios.

Pregunta 3: ¿Cómo puedo lograr el dinero que me haga feliz?
Respuesta: Cuatro de Bastos (invertido). Robert no advierte que se halla desequilibrado en el trabajo y en su vida social. Debe emplear la visualización creativa para aportar todo a su vida. No utiliza provechosamente su mente y se siente inestable.

Pregunta 4: ¿Actitudes previas respecto del dinero?
Respuesta: Cuatro de Oros (invertido). En el pasado, Robert no comprendía el valor del dinero. Fue pródigo, dio ciertas cantidades a sus amigos y reservó poco para sí. Ha padecido también algunos problemas de salud.

Pregunta 5: ¿Cuestiones referentes a la responsabilidad respecto de un bienestar económico?

Respuesta: Sota de Oros. Esta carta manifiesta el deseo de ganar dinero y de un progreso en la carrera profesional. Robert trata de alcanzar sus objetivos económicos de un modo fácil, pero si adopta una actitud negativa perderá cuanto haya invertido. Ha de asumir la responsabilidad de sus pensamientos y acciones en lo que al dinero atañe.

Pregunta 6: ¿Nuevos proyectos de inversiones financieras o de ahorro?

Respuesta: Rey de Espadas (invertido). Robert carece de nuevos planes en lo que concierne a sus finanzas. No discrimina en lo referente al dinero y todavía aguarda a ver si su última inversión le proporcionará grandes beneficios.

Pregunta 7: ¿Qué planes futuros concibo en relación con el dinero?

Respuesta: Los Enamorados. Entiende sus hábitos negativos del pasado y desea modificar su modo de pensar para aportar experiencias positivas a su existencia. Ha de aprender a confiar en su ser íntimo y solicitar la orientación de esta fuente. Ya ha decidido no invertir más fondos en proyectos para «hacerse rico al instante».

Pregunta 8: ¿Qué habilidades especiales poseo para hacer dinero?

Respuesta: La Muerte (invertida). Este naipe hace el número trece en los Arcanos Mayores y alude a los doce discípulos y a Jesús. En la tirada de Robert es posible que esta circunstancia se refiera a su trabajo espiritual, porque se trata de un astrólogo con muchos años de estudio. Convertirse en un profesional de la astrología podría ser una manera de ganar dinero.

Comentario: Son cinco los naipes invertidos en esta tirada de Robert, lo que denota un pensamiento negativo por su parte. Necesita tener más fe y confianza que podrá ganar aceptándose primero tal como es para emplear después sus talentos creativos hasta lograr una existencia feliz.

Tirada del dinero para Peter

CARTAS EN LA TIRADA

1.ª posición	Rey de Bastos
2.ª posición	El Sumo Sacerdote
3.ª posición	El Sol (invertido)
4.ª posición	Rey de Copas
5.ª posición	Los Enamorados (invertido)
6.ª posición	Tres de Copas
7.ª posición	Cuatro de Copas
8.ª posición	Caballo de Copas (invertido)

LECTURA

Pregunta 1: ¿Preocupaciones respecto del dinero?
Respuesta: Rey de Bastos. Peter es independiente, sociable y le agrada complacer a su familia. Desearía alcanzar una estabilidad económica, pero solo percibe el seguro de enfermedad, circunstancia que limita sus posibilidades.

Pregunta 2: Deseo de contar ahora con una seguridad económica
Respuesta: El Sumo Sacerdote. Peter ansía la aprobación de los demás, mas se rebela contra cualquier figura de autoridad y rechaza ser dominado por otros. La meditación puede ayudarle a establecer contacto con su guía interior, gracias a la cual sería quizá capaz de superar los obstáculos que se oponen a su anhelo de seguridad, sea financiera, emocional o mental.

Pregunta 3: ¿Cómo puedo lograr el dinero que me haga feliz?
Respuesta: El Sol (invertido). Peter experimenta una falta de confianza en sí mismo y goza de grandes expectativas por parte de otros. Este hecho podría causarle graves problemas de salud y serias decepciones. Peter debe reflexionar sobre la prosperidad, lo que constituye una postura positiva y más gratificante.

Pregunta 4: ¿Actitudes previas respecto del dinero?

Respuesta: Rey de Copas. Peter es un excelente padre de familia, cariñoso y atento, pero también necesita sentirse seguro y compartir con los suyos. Tiende a ganarse el favor de sus hijos, mostrándose demasiado indulgente con ellos y puede llegar a parecer pródigo.

Pregunta 5: ¿Cuestiones referentes a la responsabilidad respecto de un bienestar económico?

Respuesta: Los Enamorados (invertido). Peter no desea tomar decisiones acerca de temas monetarios, lo que podrían denotar el miedo a cometer errores. Quizá carezca de confianza en sí mismo o tenga una mentalidad estrecha en lo que se refiere a cuestiones económicas.

Pregunta 6: ¿Nuevos proyectos de inversiones financieras o de ahorro?

Respuesta: Tres de Copas. Peter logra ser feliz haciendo las cosas que más le gustan, y la planificación económica no figura en la lista. Prefiere leer, divertirse y realizar planes para viajar con su familia. ¡Quiere disfrutar de la vida en este preciso momento!

Pregunta 7: ¿Qué planes futuros concibo en relación con el dinero?

Respuesta: Cuatro de Copas. Este naipe refleja a una personalidad desequilibrada y a alguien que no advierte que se le brinda algo nuevo. Se halla sometido a sus antiguos hábitos que debe cambiar en aras de su futuro desarrollo. Quizá experimente ahora una cierta depresión porque no ha realizado planes para un viaje o unas vacaciones. Peter entiende su amor y su estado emocional, pero no se siente capaz de alterar sus circunstancias. Tal vez esta lectura le obligue a reparar en el caso.

Pregunta 8: ¿Qué habilidades especiales poseo para hacer dinero?

Respuesta: Caballo de copas (invertido). Esta carta revela un desgaste emocional por culpa de mensajes no recibidos. Muestra también la posibilidad de una pérdida o de una separación de un ser querido. Es un vendedor y tenía éxito hasta que sufrió su intervención quirúrgica. Le gusta leer y se desenvolvería bien trabajando en una librería. Peter podría visualizar creativamente un dinero que llegase hasta él de modo tal que no necesitara trabajar.

Comentario: En la existencia de Peter hay muchas personas que lo mantienen ocupado. La lectura indica que es un hombre sensible y emotivo. Le agradaría disponer de más dinero, pero se halla limitado en su capacidad de conseguirlo. La visualización podría ser la respuesta para él.

Tirada del dinero para James

CARTAS EN LA TIRADA

1.ª posición	As de Bastos
2.ª posición	Tres de Oros (invertido)
3.ª posición	La Suma Sacerdotisa (invertida)
4.ª posición	As de Copas (invertido)
5.ª posición	Ocho de Oros (invertido)
6.ª posición	Sota de Espadas
7.ª posición	Ocho de Copas (invertido)
8.ª posición	La Muerte

LECTURA

Pregunta 1: ¿Preocupaciones respecto del dinero?
Respuesta: As de Bastos. James tendrá profesional o socialmente nuevos comienzos u oportunidades. También requiere algunas nuevas reflexiones sobre su negocio con objeto de lograr el triunfo. Esta carta revela asimismo potencial para un futuro desarrollo.

Pregunta 2: Deseo de contar ahora con una seguridad económica
Respuesta: Tres de Oros (invertido). Considera que no emplea sus talentos creativos para ganar más dinero. Su salud es buena por el momento, pero hace poco tiempo conoció algunos grandes problemas. James se siente a disgusto con uno de sus socios y no ve la manera de modificar la situación.

Pregunta 3: ¿Cómo puedo lograr el dinero que me haga feliz?
Respuesta: La Suma Sacerdotisa (invertida). Tiene una actitud mental fija respecto de su empresa y afirma que ignora cómo cambiar las cosas. James carece de confianza en su capacidad intuitiva. Al objeto de manifestar algo, la respuesta está en la visualización creativa. Dedica diez minutos a concentrarte en lo que deseas y ten fe en que sobrevendrá. ¡Pruébalo!

Pregunta 4: ¿Actitudes previas respecto del dinero?
Respuesta: As de Copas (invertido). James experimenta un desgaste emocional. No habrá nuevos comienzos en el amor, y su resentimiento

o su rabia pueden denotar la posibilidad de problemas de la salud. James tuvo durante treinta años un próspero negocio y el dinero no constituía ningún problema para él. Esta nueva empresa le exige un exceso de tiempo, energías y dinero.

Pregunta 5: ¿Cuestiones referentes a la responsabilidad respecto de un bienestar económico?

Respuesta: Ocho de Oros (invertido). James no se considera con fuerza para aprender nuevas destrezas o para ganar dinero. Se siente muy frustrado con un socio y piensa que alguien le está robando o que en la empresa tienen lugar actividades delictivas.

Pregunta 6: ¿Nuevos proyectos de inversiones financieras o de ahorro?

Respuesta: Sota de Espadas. En términos financieros, carece de nuevos planes como no sea afirmar a su compañía en un terreno sólido. Uno de los socios es un joven con sus propios fines y que no complace a James. ¡Le agradaría más si dedicase su atención a la empresa!

Pregunta 7: ¿Qué planes futuros concibo en relación con el dinero?

Respuesta: Ocho de Copas (invertido). James tiene proyectos para acometer un programa de expansión con el fin de tratar de estimular a su firma. Se halla emocionalmente afectado y no se siente amado. Existe una ausencia de fuerza o de impulso que tal vez invalide sus empeños.

Pregunta 8: ¿Qué habilidades especiales poseo para hacer dinero?

Respuesta: La Muerte. Este naipe denota un final para las presentes circunstancias de James y un cambio favorable. Las nuevas concepciones y los nuevos planes son sanos. Si es capaz de liberarse de antiguos resentimientos y temores y de mostrarse receptivo al amor, conseguirá transformar la situación en una vía positiva hacia el éxito. James tiene buenas ideas, pero considera que en los últimos tiempos ha sido ignorado y eso lo deprime.

Comentario: Con tantos naipes invertidos, parece que James se halla situado en un marco mental negativo. Su esposa requiere una intervención quirúrgica en la espalda, circunstancia doblemente lastimosa puesto que también trabaja en la empresa. Resulta evidente que James y su mujer no son felices en razón de la obsesión materialista que los caracteriza.

TIRADA DEL TRABAJO

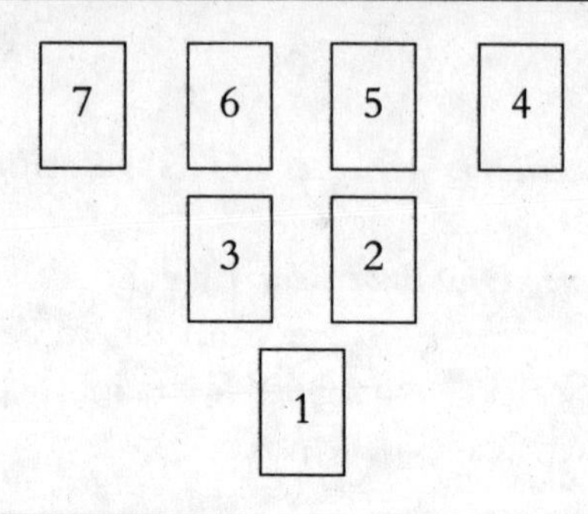

1. ¿Qué es lo que te preocupa en relación con tu empleo?
2. ¿Está el conflicto más allá de tu control?
3. ¿Deberías comunicar esos sentimientos a tu jefe?
4. ¿Te causa problemas físicos el trabajo?
5. ¿Habrá pronto cambios en el empleo?
6. ¿Deberías buscar un nuevo puesto?
7. ¿Resultado final?

Tirada del trabajo para Lee Carol

CARTAS EN LA TIRADA

1.ª posición	Seis de Oros (invertido)
2.ª posición	Cuatro de Copas
3.ª posición	Tres de Bastos (invertido)
4.ª posición	Caballo de Bastos
5.ª posición	El Sol (invertido)
6.ª posición	Siete de Copas
7.ª posición	Dos de Bastos (invertido)

LECTURA

Pregunta 1: ¿Qué es lo que te preocupa en relación con tu empleo?

Respuesta: Seis de Oros (invertido). Lee teme no ganar dinero suficiente y le inquieta que sean otras personas las que económicamente decidan por ella. Podría ser una despilfarradora sin advertirlo.

Pregunta 2: ¿Está el conflicto más allá de tu control?

Respuesta: Cuatro de Copas. Le han otorgado un nuevo puesto en su trabajo, pero no ha sido informada acerca del salario que ahora percibirá. El mes pasado hizo muchas horas extraordinarias y ahora le han dicho que no se las abonarán. No puede evitar que esa circunstancia la deprima y desequilibre, determinando un desgaste emocional y la sensación de hallarse explotada. Por desgracia, nada puede hacer acerca de semejante situación.

Pregunta 3: ¿Deberías comunicar esos sentimientos a tu jefe?

Respuesta: Tres de Bastos (invertido). No resultaría productivo hablar con su jefe. Lee no tiene fe en sus propias capacidades y estima que ella no crea su propia realidad. Si quiere modificar su condición, tiene que aprender a visualizar creativamente lo que desea en su existencia.

Pregunta 4: ¿Te causa problemas físicos el trabajo?

Respuesta: Caballo de Bastos. Este caballo aporta información concerniente al trabajo y a las actividades sociales. El naipe indica actividad y energía: está en marcha. Hay buenas noticias relativas al trabajo, a la planificación de un viaje o a un cambio de residencia. Por el momento, Lee no padece ningún problema físico en razón de su empleo.

Pregunta 5: ¿Habrá pronto cambios en el empleo?

Respuesta: El Sol (invertido). Lee es profesora y su escuela está abierta todo el año. Ahora se encuentra en la California septentrional adonde ha acudido de vacaciones con su familia. Cuando regrese a su puesto, tendrá que realizar un trabajo adicional como tutora. Necesitará distribuir su tiempo de manera diferente, efectuando cambios en su programa diario.

Pregunta 6: ¿Deberías buscar un nuevo puesto?

Respuesta: Siete de Copas. Este naipe se refiere a la visualización creativa. Lee debe aprender a ejercer un control mental sobre sus emociones. Quiere a sus alumnos y se niega a pensar en abandonarlos. Comprende que nada sigue igual eternamente, así que permanecerá allí mientras pueda. ¡Lee es una Tauro, signo de paciencia, y tiene mucha!

Pregunta 7: ¿Resultado final?

Respuesta: Dos de Bastos (invertido). Lee no desea acometer ninguna acción respecto de su trabajo o de su vida social si no dispone de todas las respuestas. Sabe que entrañan un riesgo las decisiones apresuradas. También puede mostrarse crítica en relación con sí misma y su capacidad; este viaje le proporciona una pausa para considerar su estado.

Comentario: Ha sido profesora durante diez años y le gusta lo que hace. Es una buena docente, bilingüe y creativa. También revela dedicación a sus alumnos. Sea cual fuere el lugar en donde alguien trabaje, siempre tropezará con problemas y habrá de adoptar modificaciones. Lee necesitaba alejarse de toda la actividad escolar y este viaje era ideal. Le vendrá bien, como a cualquier mujer, pasar un tiempo con su marido y sus hijos.

Tirada del trabajo para Jeff

CARTAS EN LA TIRADA

1.ª posición	La Estrella (invertida)
2.ª posición	Reina de Oros
3.ª posición	Cinco de Espadas (invertido)
4.ª posición	Cinco de Bastos
5.ª posición	La Suma Sacerdotisa
6.ª posición	Seis de Bastos (invertido)
7.ª posición	Siete de Espadas

LECTURA

Pregunta 1: ¿Qué es lo que te preocupa en relación con tu empleo?

Respuesta: La Estrella (invertida). Jeff no ve ningún futuro en su empleo. Es gerente de su compañía, la posición más alta que puede conseguir. Ha de fijarse nuevos objetivos y utilizar la visualización creativa para progresar en su existencia.

Pregunta 2: ¿Está el conflicto más allá de tu control?

Respuesta: Reina de Oros. El dueño de la empresa de Jeff se muestra muy inclinado a censurar y criticar. Jeff consigue su parte de tales exabruptos, pero nadie se libra allí de semejante trato. La esposa del propietario se esfuerza por aliviar la situación y hacer más soportable la jornada laboral de toda la plantilla. Jeff considera que realiza un buen trabajo y le gustaría que así lo reconociera el dueño. En sus manos está la elección: quedarse en donde está o buscar otro empleo.

Pregunta 3: ¿Deberías comunicar esos sentimientos a tu jefe?

Respuesta: Cinco de Espadas (invertido). Jeff no es partidario de crear problemas y trastornos. No advierte cambio alguno en la situación. Su jefe tiene ideas propias acerca de la manera de llevar el negocio y Jeff debe obedecer sus órdenes. Afirma que ha tratado inútilmente de hablar con él.

Pregunta 4: ¿Te causa problemas físicos el trabajo?

Respuesta: Cinco de Bastos. Sí. Padece molestias en la rodilla derecha (esta parte del cuerpo se halla relacionada con la carrera profesional y la posición social). Cada empleado pugna por obtener un reconocimiento de su tarea, y socialmente Jeff experimenta necesidades que quizá no hayan sido satisfechas. Tal vez precise reconsiderar su situación laboral y tomar otras decisiones.

Pregunta 5: ¿Habrá pronto cambios en el empleo?

Respuesta: La Suma Sacerdotisa. Jeff afirma que lo ignora. Dice que en los últimos tiempos el negocio ha sufrido tantos altibajos que ya no está seguro. Pero La Suma Sacerdotisa denota que lo sabe. ¿Significa eso que Jeff no quiere ver la realidad porque eso podría obligarle a adoptar una decisión?

Pregunta 6: ¿Deberías buscar un nuevo puesto?

Respuesta: Seis de Bastos (invertido). Este naipe denota que por el momento Jeff tendría que abstenerse de adoptar ninguna medida ni otra persona debería asumirla por él. El éxito no es posible en el periodo presente, pero cabe la posibilidad de que la situación cambie.

Pregunta 7: ¿Resultado final?

Respuesta: Siete de Espadas. Esta carta puede mostrar un desarrollo positivo. También significa tener fe en tu propio yo interior y solicitar una orientación. La vía que Jeff ha seguido es mental, pero también temporal. Se considera burlado en cierto sentido o cree que se la ha privado de algo. Tal vez un nuevo empleo le sería más satisfactorio.

Comentario: Jeff juzga en el momento presente que no realiza progresos hacia su objetivo y que debe aguardar una respuesta mejor o más clara. Quizá sea acertado tal análisis, pero no si Jeff sigue padeciendo en relación con su trabajo unos problemas físicos que afectan a su bienestar.

Tirada del trabajo para Joyce

CARTAS EN LA TIRADA

1.ª posición	Reina de Espadas
2.ª posición	Dos de Bastos
3.ª posición	Nueve de Bastos (invertido)
4.ª posición	Nueve de Espadas (invertido)
5.ª posición	Seis de Oros
6.ª posición	As de Oros
7.ª posición	Los Enamorados

LECTURA

Pregunta 1: ¿Qué es lo que te preocupa en relación con tu empleo?

Respuesta: Reina de Espadas. Joyce posee una gran fuerza de voluntad y es una mujer resuelta a que su negocio tenga éxito. Necesita someterse a una operación de espalda, pero considera harto menguada a la plantilla de su compañía. Joyce trabaja de firme y pretende triunfar.

Pregunta 2: ¿Está el conflicto más allá de tu control?

Respuesta:. Dos de Bastos. Sabe que el conflicto radica en el área del trabajo y que ella tiene el control en sus manos. Los problemas empresariales han determinado para Joyce una situación negativa en su salud. Es una de las tres personas propietarias de la firma, cada una de las cuales estima que es la que más sabe acerca del negocio. Joyce se siente un tanto impotente ahora que ha vuelto a repetirse su afección dorsal. Cuando alguien juzga que no obtiene todo el apoyo que merece, suelen sobrevenirle problemas de espalda

Pregunta 3: ¿Deberías comunicar esos sentimientos a tu jefe?

Respuesta: Nueve de Bastos (invertido). En sus actividades profesionales, Joyce no recurre a la sabiduría de las experiencias adquiridas y se advierte desprotegida. Ha de contender con los otros dos propietarios, cada uno de los cuales posee un ego que debe ser satisfecho. La situación no es sana y se refleja en el organismo de Joyce.

Pregunta 4: ¿Te causa problemas físicos el trabajo?

Respuesta: Nueve de Espadas (invertido). Ha llegado el momento de acometer unos cambios. Las experiencias previas no la han aportado un entendimiento o una comprensión y se encamina hacia una crisis. Es posible que las dificultades lleguen a ser insuperables, pero tiene que aprender las lecciones. No es un periodo indicado para descansar y el exceso de jefes representa un factor implicado en sus problemas físicos. La culpa no es del trabajo sino del desgaste mental que ella sufre. ¡Esta es la causa de sus achaques!

Pregunta 5: ¿Habrá pronto cambios en el empleo?

Respuesta: Seis de Oros. Joyce desea someterse a una operación en la espalda. Cuando tenga que ausentarse, habrá que contratar al menos a dos empleados que la sustituyan. Deberá aprender a mostrarse justa y compartir sus recursos con los recién llegados. Surgirán modificaciones y Joyce podría visualizar maneras diferentes de ganar dinero.

Pregunta 6: ¿Deberías buscar un nuevo puesto?

Respuesta: As de Oros. Como Joyce es copropietaria del negocio, no está interesada en un «empleo». Uno de sus socios es su marido, y ella ha de entender que su seguridad está basada en la estabilidad financiera. Han acometido una ampliación de las instalaciones y este naipe indica que se trata de una medida oportuna. La carta revela nuevos comienzos en el dinero y prosperidad y alude además a una mejoría en la salud de Joyce.

Pregunta 7: ¿Resultado final?

Respuesta: Los Enamorados. Joyce debe decidir lo que hace con su vida. Ha de saber discriminar, mostrarse responsable y tener fe en que las decisiones que tome serán acertadas. Todo lo que resuelva afectará a su marido y al resto de su familia. Su alejamiento de la zona de combate no solucionará los problemas; solo servirá para demorarlos. Tiene que decidir.

Comentario: Los tres propietarios del negocio se hallan emparentados y todos parecen poseer un temperamento inflamable. Para favorecer su relación, sería prudente vender la empresa. Mas parece que eso no es posible por el momento, aunque se acumulen los problemas. La obtención de una ayuda adicional permitiría a Joyce dedicar menos tiempo al trabajo, circunstancia capaz de aliviar la situación.

TIRADA DE LAS CUESTIONES LEGALES 2

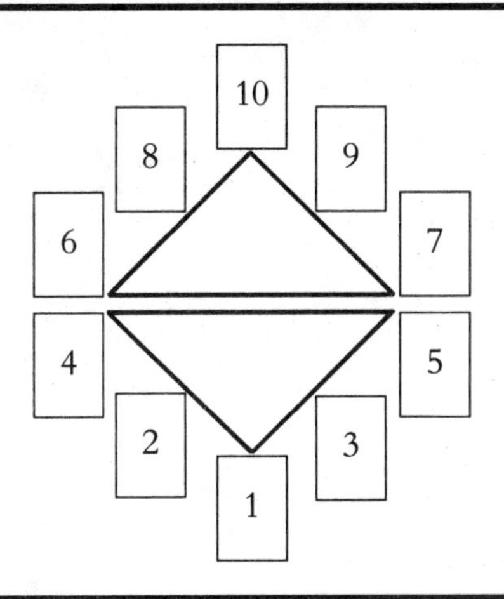

1. ¿Cuál es tu preocupación en lo que se refiere a esa cuestión legal?
2. ¿Cuál es tu estado mental a propósito de esta experiencia?
3. ¿Qué medidas adoptas mientras aguardas los resultados?
4. ¿Existe una razón para demoras u obstáculos?
5. ¿Cuál es la opinión que te merece tu asesoramiento legal?
6. ¿Cómo te relacionas con el abogado de la otra persona?
7. ¿Dispones de testigos fiables?
8. ¿Es estable tu posición financiera?
9. ¿Cuentas con el respaldo de tus amigos y familiares?
10. ¿Resultado final?

Capítulo 5

Decisiones importantes en la vida

ESTE grupo de cuatro tiradas se refiere a algunas de las cuestiones mayores y más trascendentales de la existencia. Las tiradas son las de:

Problemas de las relaciones
Matrimonio
Embarazo
Posibilidades de divorcio

Tales materias no deben ser consideradas a la ligera y el lector ha de tomar conciencia de la naturaleza seria del tema. En muchos casos, el interrogador cree que el lector es omnipotente y que puede «ver» la respuesta a su dilema.

La última tirada de este capítulo es la de «Posibilidades de divorcio» y carece de una muestra de lectura. Por fortuna, no surgió nadie que pensara en tal cosa.

Las preguntas de todas las tiradas son directas. Cada individuo debe llevar a cabo un examen de conciencia con el fin de encontrar respuestas seguras a los interrogantes planteados. Las cartas del Tarot poseen capacidad para contribuir a la resolución de problemas si permitimos que resplandezca la verdad.

PROBLEMAS DE LAS RELACIONES

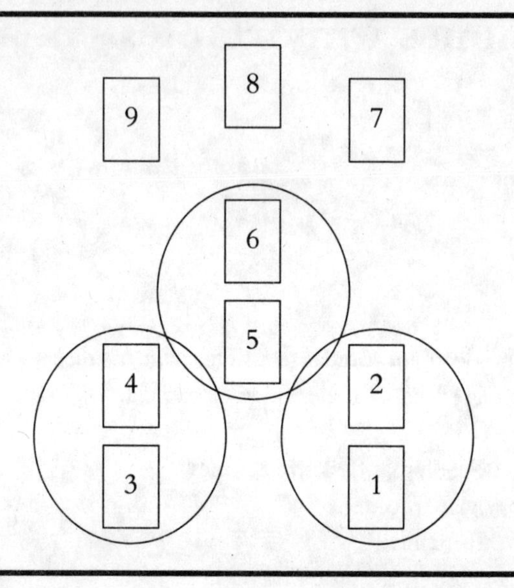

1. ¿Cuál es el problema?
2. ¿El conflicto?
3. ¿Creé yo el problema?
4. ¿Me niego a advertir mi papel en el problema?
5. ¿Experiencias previas con mi pareja?
6. ¿Nos ofendemos mutuamente?
7. ¿Hay otras personas implicadas en nuestro problema?
8. ¿Existen problemas económicos que afecten a nuestra relación?
9. ¿Concluirá esta relación?

Problemas de la relación para Joanie

CARTAS EN LA TIRADA

1.ª posición	Reina de Oros (invertida)
2.ª posición	Rey de Bastos
3.ª posición	Siete de Bastos (invertido)
4.ª posición	Seis de Espadas
5.ª posición	Tres de Espadas (invertido)
6.ª posición	El Ahorcado
7.ª posición	Seis de Bastos (invertido)
8.ª posición	Diez de Espadas
9.ª posición	Sota de Bastos

LECTURA

Pregunta 1: ¿Cuál es el problema?

Respuesta: Reina de Oros (invertida). Joanie es derrochadora y preferiría no trabajar. Desea que alguien cuide de ella y no ha encontrado a una persona a la que recurrir para que la mantenga tal como desea.

Pregunta 2: ¿El conflicto?

Respuesta: Rey de Bastos. Joanie posee muchos rasgos de Aries. Lo quiere todo ahora, ser independiente y libre. Es ambiciosa, con talento de ejecutiva y cualidades para mandar. Su conflicto estriba en atraer a su existencia el mismo tipo de hombre, que esté dispuesto a cuidarla y apoyarla. Esa situación le resulta muy frustrante.

Pregunta 3: ¿Creé yo el problema?

Respuesta: Siete de Bastos (invertido). Joanie padece un complejo de inferioridad y quizá se sienta incompetente. Esas actitudes pueden socavar cualquier comunicación. Joanie se concentra además en todo lo físico y material, rasgo que no constituye una base sólida para una buena relación. No bebe, fuma ni toma drogas y no soportará a nadie que caiga en esos hábitos. En razón de las necesidades de su ego, el lazo se romperá si no obtiene atención. Entiende que ella crea su propia realidad, pero está resuelta a encontrar a ese individuo específico con el que se cumplan sus sueños.

Pregunta 4: ¿Me niego a advertir mi papel en el problema?

Respuesta: Seis de Espadas. Joanie ha sentido la tentación de huir de sus dificultades, pero comprende que debe perseverar y hacer frente a lo que sobrevenga si quiere progresar en su vida. En su niñez, Joanie experimentó con su padre unos problemas que influyeron en todas sus relaciones con los hombres. Ha comenzado a leer libros de autoayuda y desea desempeñar su papel en la situación.

Pregunta 5: ¿Experiencias previas con mi pareja?

Respuesta: Tres de Espadas (invertido). En otros tiempos, Joanie juzgaba que no era quien creaba sus propios problemas. Tuvo un matrimonio desafortunado, se divorció y no ha mantenido desde entonces una relación duradera. Joanie no respeta a los hombres en razón de las experiencias negativas que conoció con su padre.

Pregunta 6: ¿Nos ofendemos mutuamente?

Respuesta: El Ahorcado. Hasta el momento considera que ha vivido sacrificada a la voluntad de los demás. Se siente atada y cree que, sea cual fuere la cuestión, acabará perdiendo. Las fantasías y las ilusiones enturbian sus razonamientos y algunas de sus ideas carecen de sustancia. Joanie desea algo de su relación, pero tiene que aprender a ceder; de ese modo se liberará. Nadie puede ofenderla si no lo permite.

Pregunta 7: ¿Hay otras personas implicadas en nuestro problema?

Respuesta: Seis de Bastos (invertido). Joanie tiene hermanos y otros parientes con quienes se halla implicada. Su padre falleció recientemente y ella se vio mezclada en la batalla por la herencia. Ahora desea conseguir cuanto pueda de lo que fue de su progenitor; quizá así resuelva sus sentimientos negativos respecto de él y consiga seguir adelante con su vida.

Pregunta 8: ¿Existen problemas económicos que afecten a nuestra relación?

Respuesta: Diez de Espadas. Conocerá grandes cambios en sus problemas cuando reciba la herencia. Desaparecerán muchos de los fardos que gravitan sobre ella y superará varias de sus dificultades más acuciantes. No experimentó agobios económicos en su última relación, pero hubo otros de carácter emocional que la socavaron. Para ella comienza un nuevo ciclo que puede afectarla íntimamente y aportar tiempos más felices.

Pregunta 9: ¿Concluirá esta relación?
Respuesta: Sota de Bastos. Esta carta desea libertad... al igual que Joanie. La relación concluyó poco después de la lectura.

Comentario: Joanie estudia ahora ansiosamente tareas espirituales y es más consciente de sus actitudes y del modo en que afectaron desfavorablemente a sus relaciones previas. Se ha prometido obrar de un modo diferente en el futuro.

Problemas de la relación para Ann

CARTAS EN LA TIRADA

1.ª posición	Tres de Copas (invertido)
2.ª posición	Dos de Espadas
3.ª posición	Siete de Bastos
4.ª posición	Ocho de Oros
5.ª posición	Reina de Copas
6.ª posición	El Emperador (invertido)
7.ª posición	Seis de Copas
8.ª posición	El Sol
9.ª posición	Cinco de Copas (invertido)

LECTURA

Pregunta 1: ¿Cuál es el problema?

Respuesta: Tres de Copas (invertido). Ann estima que está sufriendo una crisis emocional. Padece en su existencia depresión, infelicidad y una falta de creatividad. Experimenta asimismo problemas en sus relaciones.

Pregunta 2: ¿El conflicto?

Respuesta: Dos de Espadas. Ann conoce sus problemas y dificultades, pero no desea abordarlos. Tiene que meditar sobre los obstáculos que encuentra para encontrar respuestas. Quizá necesite pasar a la acción en vez de aguardar pasivamente a que la situación se despeje.

Pregunta 3: ¿Creé yo el problema?

Respuesta: Siete de Bastos. Ann debería comprender que somos autores de nuestra propia realidad. Esta vía es de carácter mental y puede conducir al éxito y a la victoria tanto profesional como socialmente. Ha de asumir la responsabilidad, sin sentirse superior y utilizar su ego y su voluntad de modos positivos.

Pregunta 4: ¿Me niego a advertir mi papel en el problema?

Respuesta: Ocho de Oros. Mediante la perseverancia en el aprendizaje de nuevas destrezas y disponiendo de fortaleza para hacer frente a todo género de experiencias, Ann verá que todo llega a encajar. ¡Cuando nos vemos envueltos en dificultades es a menudo imposible columbrar las soluciones!

Pregunta 5: ¿Experiencias previas con mi pareja?

Respuesta: Reina de Copas. Esta carta es una Escorpio y se halla asociada con el amor y las emociones. Ann posee fuerza, intuición y vehemencia. Es una buena amiga y una enemiga peligrosa. Desea asumir el control de sus relaciones y se muestra muy leal. Su marido falleció y ella siguió trabajando de firme.

Pregunta 6: ¿Nos ofendemos mutuamente?

Respuesta: El Emperador (invertido). Ann no comprende todo su potencial. Tiene que aprender a proseguir el desarrollo de sus planes, sin revelarse perezosa o asustada. Debe aceptar el hecho de que ha de basarse en sí misma y en su fuente interior como orientación. Se trata de una viuda con gran sentido de su independencia.

Pregunta 7: ¿Hay otras personas implicadas en nuestro problema?

Respuesta: Seis de Copas. Este naipe se refiere a las decisiones que Ann debe tomar en relación con el amor y las emociones. Sentirá la tentación de vivir en el pasado, pero el presente es un espacio más venturoso para ella. Existen nuevas responsabilidades y, en potencia, otra relación. En el momento presente hay diversas personas implicadas en su existencia.

Pregunta 8: ¿Existen problemas económicos que afecten a nuestra relación?

Respuesta: El Sol. Ann busca la verdad y la felicidad. Surgen posibilidades de un beneficio económico, un viaje y un aumento de la confianza en sí misma. Aparecen ciertas limitaciones, pero esta carta no revela una pérdida material. ¡Su salud y su vitalidad se hallan aseguradas!

Pregunta 9: ¿Concluirá esta relación?

Respuesta: Cinco de Copas (invertido). Ann permanece emocionalmente agotada por la desaparición de su marido. Siente un cierto temor del futuro y escasa confianza en una relación. No cree en el amor ni en los encuentros románticos. Si desde que comenzó su viudez hubo alguna relación, probablemente no duró.

Comentario: Ann es todavía bastante joven para contraer nuevos lazos. La camaradería constituye la respuesta para las personas de su edad y puede aportar una orientación y un significado nuevos a su existencia. ¡Ha llegado el momento de arriesgarse!

TIRADA DEL MATRIMONIO

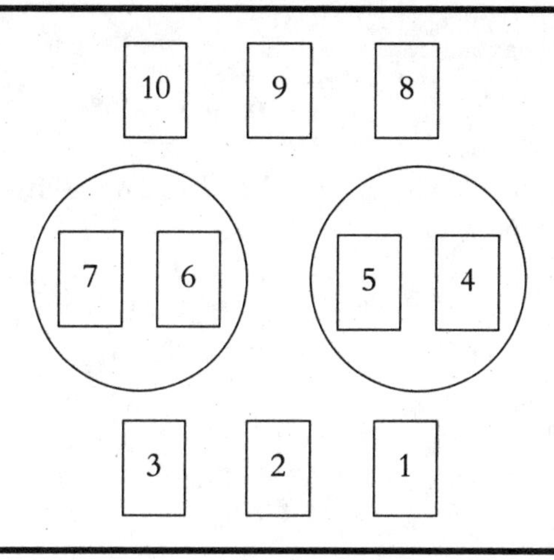

1. ¿Me casaré?
2. ¿Qué clase de persona es compatible conmigo?
3. ¿Tendremos buenos métodos de comunicación?
4. ¿Desearemos ambos llegar a un compromiso?
5. ¿Serán semejantes nuestros gustos y aversiones?
6. ¿Me aceptará la familia de mi pareja?
7. ¿Cómo nos conoceremos?
8. ¿Seremos capaces de compartir nuestros recursos económicos?
9. ¿Qué puedo hacer mientras aguardo la llegada de esa persona?
10. ¿Resultado?

Tirada del matrimonio para Laura

CARTAS EN LA TIRADA

1.ª posición	La Torre (invertida)
2.ª posición	Templanza (invertida)
3.ª posición	Reina de Espadas (invertida)
4.ª posición	Cinco de Bastos
5.ª posición	Reina de Oros (invertida)
6.ª posición	Cuatro de Espadas
7.ª posición	Sota de Espadas
8.ª posición	La Rueda de la Fortuna
9.ª posición	Cuatro de Oros (invertido)
10.ª posición	Rey de Espadas (invertido)

LECTURA

Pregunta 1: ¿Me casaré?

Respuesta: La Torre (invertida). A Laura le asusta cambiar su antiguo modo de pensar acerca del matrimonio. Teme perder su libertad; solo ha conocido una unión fallida y no desea repetir la experiencia. ¡Pero ahora existen posibilidades de una nueva boda!

Pregunta 2: ¿Qué clase de persona es compatible conmigo?

Respuesta: Templanza (invertida). Esta carta revela un desequilibrio en la vida emocional de Laura. Es una Géminis y el naipe un sagitario, el signo opuesto. Sagitario representa a un amante de la libertad, alguien que gusta de viajar y de encontrar a todo género de personas. Esta constituiría una situación ideal, aunque las personas con las que últimamente se ha implicado Laura eran del tipo dominante. Reconoce que teme resultar herida en el amor.

Pregunta 3: ¿Tendremos buenos métodos de comunicación?

Respuesta: Reina de Espadas (invertida). Laura no es abierta y sincera consigo misma. Querría casarse pero tiene miedo de cometer un error. Debe comunicar este sentimiento a su nuevo amante si pretende que su lazo con él sea duradero.

Pregunta 4: ¿Desearemos ambos llegar a un compromiso?

Respuesta: Cinco de Bastos. Esta carta alude a disensiones y a la ausencia de armonía. Laura cree en sus propias ideas y tiene voluntad para ponerlas en práctica, pero considera que ha de luchar para satisfacer las necesidades de su ego. Es independiente y quizá decida no implicarse con nadie. Tal vez pase por una época difícil si acepta ahora un compromiso.

Pregunta 5: ¿Serán semejantes nuestros gustos y aversiones?

Respuesta: Reina de Oros (invertida). Laura y su nuevo amor han hablado acerca del matrimonio y de los hijos. A Laura no le interesa tener descendencia y este factor contribuye a sus temores. Pretende disfrutar de la vida y gozar de libertad para viajar. Ella y su pareja manifiestan gustos similares, pero no respecto de los hijos.

Pregunta 6: ¿Me aceptará la familia de mi pareja?

Respuesta: Cuatro de Espadas. Este naipe muestra un desequilibrio en la vida emocional de Laura. Su nuevo amor procede de una familia acomodada de la costa oriental de los Estados Unidos y no está segura de ser bien acogida, temiendo resultar agraviada en su relación.

Pregunta 7: ¿Cómo nos conoceremos?

Respuesta: Sota de Espadas. Laura y su pareja dejaron de prestar atención a los demás en cuanto establecieron contacto. Si atiende al deseo de su corazón, Laura advertirá cuál es el camino hacia la felicidad. Solo ella sabe qué es lo que más le conviene; si escucha a otros, es posible que se sienta confusa. Quizá sean pueriles sus temores a perder la libertad cuando se case.

Pregunta 8: ¿Seremos capaces de compartir nuestros recursos económicos?

Respuesta: La Rueda de la Fortuna. Este naipe dice «corre un albur, apuesta y viaja». Su nueva pareja posee fortuna propia y la imagen económica de los dos parece muy brillante.

Pregunta 9: ¿Qué puedo hacer mientras aguardo la llegada de esa persona?

Respuesta: Cuatro de Oros (invertido). Ha de crear un equilibrio en sus finanzas y en su salud. El dinero no es aquí la cuestión más importante.

Debe comprender que este encuentro podría convertirse en un sueño mágico que se hace realidad y pugnar por construirlo.

Pregunta 10: ¿Resultado?

Respuesta: Rey de Espadas (invertido). Este rey del revés es vano y superficial. Se trata además de un Géminis, como Laura. Eso indica que el desenlace tiene que ser obra de Laura y que ella debe decidir.

Comentario: Con tantas cartas del revés en esta tirada, es evidente que Laura no piensa con claridad. Habrá de tomar una decisión, pero aún tiene tiempo. La nueva relación tendrá éxito si hay amor en las dos partes. ¡Solo ellos conocen la verdad!

Tirada del matrimonio para Glenda

CARTAS EN LA TIRADA

1.ª posición	Caballo de Oros
2.ª posición	Cinco de Bastos
3.ª posición	Sota de Bastos
4.ª posición	El Ahorcado (invertido)
5.ª posición	Cuatro de Bastos (invertido)
6.ª posición	La Rueda de la Fortuna (invertida)
7.ª posición	El Ermitaño
8.ª posición	Rey de Espadas
9.ª posición	Cuatro de Copas
10.ª posición	Reina de Espadas (invertida)

LECTURA

Pregunta 1: ¿Me casaré?
Respuesta: Caballo de Oros. Glenda quiere contraer matrimonio si encuentra a un hombre con medios suficientes para mantener a los dos. Aguarda una oportunidad para ir de vacaciones con él si está dispuesto a hacer frente a todos los gastos.

Pregunta 2: ¿Qué clase de persona es compatible conmigo?
Respuesta: Cinco de Bastos. Esta carta se refiere a la creencia en que uno tiene que luchar para imponer sus ideas tanto en el trabajo como en la vida social. Con fe, no es preciso que la pugna sea agresiva. Glenda aspira a conseguir una pareja que se empeñe en lograr objetivos superiores, emplee su voluntad para obtener el reconocimiento de los demás y gane dinero. Las opiniones de Glenda le aportarán éxito si piensa positivamente.

Pregunta 3: ¿Tendremos buenos métodos de comunicación?
Respuesta: Sota de Bastos. Este naipe representa a una persona inmadura que aspira a trabajar y a desarrollar una activa vida social. Glenda y su pareja rara vez se hablan. Él realiza frecuentes desplazamientos y siempre está ocupado.

Pregunta 4: ¿Desearemos ambos llegar a un compromiso?

Respuesta: El Ahorcado (invertido). Glenda debe ser realista y no limitarse a esperar, confiando en que cambien las cosas. Podría reflexionar sobre esta relación para ver si es positiva o fútil. Tal vez ella anhele un compromiso, pero no sucede así en el caso de él.

Pregunta 5: ¿Serán semejantes nuestros gustos y aversiones?

Respuesta: Cuatro de Bastos (invertido). Glenda no comprende que sus pensamientos se hallan desequilibrados. Este naipe del revés no denota matrimonio, sino que muestra falta de estabilidad y una relación infructuosa. Cabe la posibilidad de que sus gustos y aversiones sean similares, pero no existe base para la unión conyugal.

Pregunta 6: ¿Me aceptará la familia de mi pareja?

Respuesta: La Rueda de la Fortuna (invertida). Este no es el momento para que Glenda se arriesgue a suponer que la familia de él la aceptará. Antes debe consolidar su relación. Él está divorciado y tiene dos hijas, que también podrían plantear problemas.

Pregunta 7: ¿Cómo nos conoceremos?

Respuesta: El Ermitaño. Glenda ha pasado por un divorcio y ha ganado sabiduría a través de la búsqueda de su media naranja. Debe establecer contacto con su fuente interior y hallar la luz que la guíe hasta una pareja cariñosa.

Pregunta 8: ¿Seremos capaces de compartir nuestros recursos económicos?

Respuesta: Rey de Espadas. Esta es la carta de un abogado. Tal vez advierta Glenda que debe protegerse legalmente o firmar un acuerdo prenupcial en la eventualidad de que se case. Se trata de un naipe mental y quizá tendría Glenda que reflexionar acerca de sus propias convicciones personales.

Pregunta 9: ¿Qué puedo hacer mientras aguardo la llegada de esa persona?

Respuesta: Cuatro de Copas. Ha de comprender que todavía está aferrada a previas relaciones amorosas (o a su matrimonio). ¡Necesita examinar lo que ahora le llega —un nuevo comienzo en el amor— y recogerlo! Debe conseguir un equilibrio y no dejarse gobernar por sus emociones. Cuando cambien sus creencias, cambiará su existencia.

Pregunta 10: ¿Resultado?

Respuesta: Reina de Espadas (invertida). Glenda no quiere permanecer sola, anhela un matrimonio en un plano de igualdad y de equilibrio. Tropieza con sus propios problemas y dificultades, pero se sentiría mejor si estuviera casada. ¡Desea una pareja y pronto!

Comentario: Debe renunciar a sus actitudes anteriores respecto de los hombres con el fin de conseguir una relación positiva. Sería un error que prestase atención a individuos que no le convienen y que se esforzara después por cambiarlos ¿Por qué desea que la relación prosiga si estima que ese hombre es inmaduro? Glenda es una virgo y quizá más crítica y estricta de lo que imagina, sobre todo acerca de los hombres.

TIRADA DEL EMBARAZO

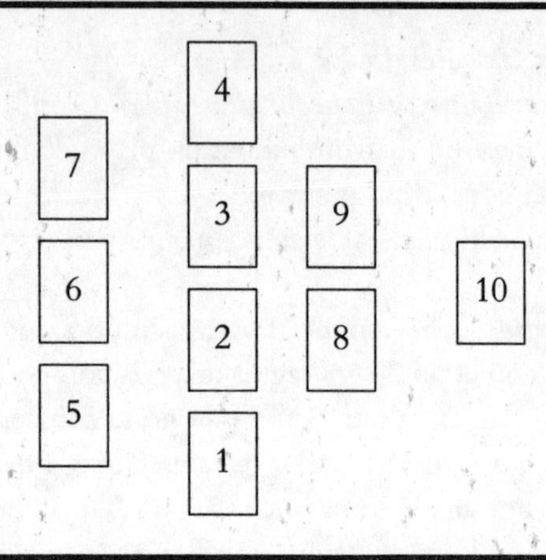

1. ¿Estoy preparada para tener un hijo?
2. ¿Tengo confianza suficiente para ser madre?
3. ¿Me sentiré feliz siéndolo?
4. ¿Cuidará de mi hijo su padre?
5. ¿Me consideraré atrapada o privada de libertad por obra del niño?
6. ¿Qué conducta pasada tengo que cambiar con el fin de hallarme mejor dispuesta para la maternidad?
7. ¿Seré capaz de proporcionar a ese hijo una buena educación?
8. ¿Existen posibilidades de que ese niño padezca problemas de la salud?
9. ¿Intervendrán y me ayudarán mis padres?
10. ¿Resultado final?

Tirada del embarazo para Marcie

CARTAS EN LA TIRADA

1.ª posición	Ocho de Oros (invertido)
2.ª posición	La Suma Sacerdotisa (invertida)
3.ª posición	Ocho de Bastos (invertido)
4.ª posición	Tres de Oros (invertido)
5.ª posición	La Emperatriz (invertida)
6.ª posición	Seis de Espadas (invertido)
7.ª posición	Reina de Copas (invertida)
8.ª posición	Diez de Copas
9.ª posición	La Rueda de la Fortuna
10.ª posición	El Loco (invertido)

LECTURA

Pregunta 1: ¿Estoy preparada para tener un hijo?
Respuesta: Ocho de Oros (invertido). Marcie no posee confianza en sí misma y considera que ahora carece de fortaleza para tener un hijo. Aspira a conseguir dinero por la vía rápida, pero no desea trabajar de firme para lograrlo. La nueva pareja de Marcie cuenta con dinero, pero existen condiciones que quizá ella no esté dispuesta a tolerar.

Pregunta 2: ¿Tengo confianza suficiente para ser madre?
Respuesta: La Suma Sacerdotisa (invertida). Marcie ignora si sería una buena madre. Alienta algunas ideas fijas y tiende a analizar en exceso sus experiencias. Está pasando por un periodo emocionalmente agotador al tratar de tomar decisiones.

Pregunta 3: ¿Me sentiré feliz siéndolo?
Respuesta: Ocho de Bastos (invertido). Carece de vigor en su trabajo y en sus actividades sociales. Sus pensamientos se hallan desequilibrados y podrían dar al traste con su nueva relación. Marcie se siente vulnerable e insegura. Decididamente no está comprometida con la idea de ser madre, así que tal felicidad no se plantea como un problema para ella.

Pregunta 4: ¿Cuidará de mi hijo su padre?

Respuesta: Tres de Oros (invertido). Marie carece de fe en sus posibilidades de ganar dinero y tiene escasa confianza en su capacidad creativa, dentro de la cual se incluiría un hijo. Su nueva pareja cuenta con dinero y con la posibilidad de heredar más, así que sería económicamente capaz de mantener a un hijo.

Pregunta 5: ¿Me consideraré atrapada o privada de libertad por obra del niño?

Respuesta: La Emperatriz (invertida). Marcie juzga que no es ella quien suscita sus propias experiencias. Ha conocido problemas con su madre y con otras mujeres. Teme perder su libertad y se siente sexualmente insatisfecha, por lo que resulta posible que no se comprometa ahora con una relación. Quizá esta termine antes de haber empezado verdaderamente. Y sin una relación, ella no desearía un hijo.

Pregunta 6: ¿Qué conducta pasada tengo que cambiar con el fin de hallarme mejor dispuesta para la maternidad?

Respuesta: Seis de Espadas (invertido). Marcie no dispone de elección en lo que se refiere a efectuar cambios: ha de hacer frente a las cuestiones y resolverlas. Considera difícil tomar decisiones, sobre todo en lo relativo a concebir niños. Está divorciada y no los tuvo antes.

Pregunta 7: ¿Seré capaz de proporcionar a ese hijo una buena educación?

Respuesta: Reina de Copas (invertida). Sí, en el caso de que contraiga matrimonio con su nueva pareja que cuenta con dinero y una buena carrera profesional. Pero Marcie no es sincera con ese hombre; se siente emocionalmente agotada, resentida y temerosa de confiarle su corazón.

Pregunta 8: ¿Existen posibilidades de que ese niño padezca problemas de la salud?

Respuesta: Diez de Copas. Podría surgir un nuevo ciclo de cambio para Marcie. Esta carta alude al amor en un plano superior y, con tal arco iris, a cierta buena suerte. La perspectiva es feliz y saludable para toda la familia. Marcie no necesita preocuparse de la salud de su posible hijo.

Pregunta 9: ¿Intervendrán y me ayudarán mis padres?

Respuesta: La Rueda de la Fortuna. Marcie debe hacer una apuesta en su vida. La mayoría de los padres acogen gratamente a los nietos y aportan su ayuda en muchos aspectos. Marcie ha de romper muchos antiguos lazos de su vida profesional o personal que se han convertido para ella en una traba. Es el momento de nuevas experiencias y de correr riesgos. ¡Ha sobrevenido el momento adecuado para el éxito!

Pregunta 10: ¿Resultado final?

Respuesta: El Loco (invertido). En realidad, Marcie no busca nuevas experiencias de una naturaleza perdurable. Carece de confianza, se halla concentrada en el sexo y es materialista. Necesita equilibrar sus placeres, deseos y actitudes sexuales de una manera realista y tener confianza en el futuro.

Comentario: Marcie teme cometer otro error de juicio. Conoció un matrimonio fallido y no desea que se repita lo sucedido. ¡Confesó su necesidad de libertad y de desenvolverse según quisiera! La madre de Marcie no constituyó un buen ejemplo de matrimonio estable, y a Marcie le da miedo que se reproduzca la pauta.

Tirada del embarazo para Betty

CARTAS EN LA TIRADA

1.ª posición	El Sol (invertido)
2.ª posición	Seis de Copas
3.ª posición	Reina de Bastos (invertida)
4.ª posición	Diez de Bastos
5.ª posición	Caballo de Copas (invertido)
6.ª posición	As de Espadas (invertido)
7.ª posición	Diez de Espadas
8.ª posición	Nueve de Copas
9.ª posición	La Muerte
10.ª posición	Ocho de Espadas

LECTURA

Pregunta 1: ¿Estoy preparada para tener un hijo?

Respuesta: El Sol (invertido). Betty carece ahora de valor y de confianza, lo que significa que no debería tener un hijo en este momento. Tal vez su bajo nivel de energía afectaría desfavorablemente tanto a ella como al niño y determinaría problemas de salud en el futuro. Betty se ha sentido decepcionada en sus relaciones y esta puede ser una de las razones por las que no desee comprometerse con la maternidad.

Pregunta 2: ¿Tengo confianza suficiente para ser madre?

Respuesta: Seis de Copas. Betty ha elegido por sí misma en las relaciones amorosas. Este naipe revela un potencial para vivir en el pasado o para traer a alguien del pretérito a su vida presente y quizá tal paso no se revele positivo. Betty está divorciada, pero no desea ser progenitora única. Aguarda a que el hombre adecuado le formule la pregunta decisiva, y puede que entonces considere tener un hijo.

Pregunta 3: ¿Me sentiré feliz siéndolo?

Respuesta: Reina de Bastos (invertida). Este naipe es un Leo, y a las personas de ese signo suelen gustarles los niños. Poseen grandes expectativas y desean que sus hijos triunfen, como un reflejo de su ego

Leo. Betty es, por otra parte, una mujer orientada hacia su carrera profesional, así que tener un hijo quizá constituiría una barrera a sus ambiciones.

Pregunta 4: ¿Cuidará de mi hijo su padre?

Respuesta: Diez de Bastos. Según esta carta, la réplica es afirmativa. Betty no habría de soportar ella sola la carga y su actividad laboral podría mejorar de esta manera. El padre ayudaría a Betty en muchos aspectos y también mantendría al niño.

Pregunta 5: ¿Me consideraré atrapada o privada de libertad por obra del niño?

Respuesta: Caballo de Copas (invertido). La ausencia de libertad es el miedo más grande que siente Betty. La simple idea de tener un hijo ha provocado un desgaste emocional y una tensión en su relación. Es posible que Betty dilate el desenlace de la cuestión y no siempre sinceramente. El caballo denota que no recibió el mensaje que aguardaba y ahora prefiere no tomar decisión alguna.

Pregunta 6: ¿Qué conducta pasada tengo que cambiar con el fin de hallarme mejor dispuesta para la maternidad?

Respuesta: As de Espadas (invertido). Betty debe abandonar algunas de sus opiniones negativas. La meditación y la visualización creativa le ayudarían al respecto. Posee una confianza y una estimación escasas en sí misma, circunstancias que han de ser abordadas y resueltas. Todos los progenitores se sienten aprensivos y desean superarse en la crianza de sus hijos. Los padres primerizos sufren en ese periodo una gran tensión, pero la experiencia es la única maestra en lo que se refiere a bebés.

Pregunta 7: ¿Seré capaz de proporcionar a ese hijo una buena educación?

Respuesta: Diez de Espadas. Esta carta indica que a Betty le aguardan grandes cambios. Su carga se verá aliviada y está quedando atrás el ciclo negativo. Hay tiempo sobrado para preocuparse de la educación de un hijo que todavía no ha nacido.

Pregunta 8: ¿Existen posibilidades de que ese niño padezca problemas de la salud?

Respuesta: Nueve de Copas. El naipe de los deseos del derecho significa la consecución de lo que se pretende. Como ella pensaba en cuestiones de salud respecto del niño, yo diría que será excelente la de ese hijo.

Pregunta 9: ¿Intervendrán y me ayudarán mis padres?

Respuesta: La Muerte. El padre de Betty falleció, pero la madre aún vive con buena salud y le prestará su ayuda, aceptando al niño bajo cualquier circunstancia. Ese pequeño revelaría el final de una situación y un cambio para mejorar. Se trata de un tiempo de transformación, así que hay que desembarazarse de aquellas antiguas experiencias que ya no tienen significación en la vida y aprovechar las nuevas oportunidades.

Pregunta 10: ¿Resultado final?

Respuesta: Ocho de Espadas. Betty ha poseído fuerza para enfrentarse con todas sus experiencias, y sobre todo con sus problemas. Le da miedo realizar cambios o correr riesgos. Puede que esta sea una época frustrante para su persona, pero solo ella está en condiciones de tomar las últimas decisiones.

Comentario: Es dificil criar a un hijo sin un padre, pero muchas mujeres lo intentan. Betty ha pasado de los cuarenta y pronto se le concluirán las opciones. Considerando haber cometido un «error» en su matrimonio, le repugna la idea de probar de nuevo. Estas decisiones resultan muy personales y solo a Betty incumbe adoptarlas. ¡Sus deseos acabarán por imponerse!

POSIBILIDADES DE DIVORCIO

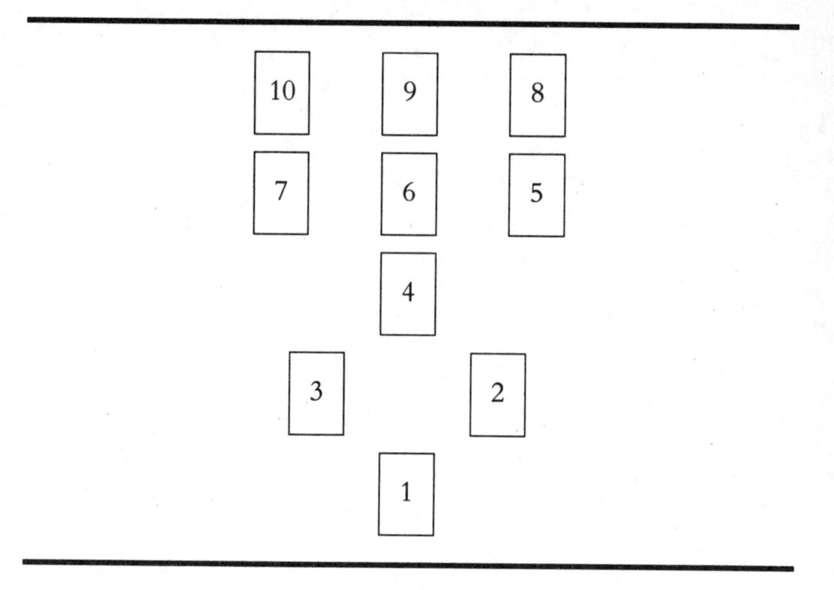

1. ¿Qué razones tengo para desear un divorcio?
2. ¿Sigo queriendo a mi pareja?
3. ¿Nos engañamos mutuamente o cada uno a sí mismo?
4. ¿Estriba nuestro problema en el dinero? ¿Lo empleamos como arma contra la otra parte?
5. ¿Continuamos siendo sexualmente compatibles?
6. ¿Por qué no acepta mi pareja más responsabilidad?
7. ¿Padece mi pareja problemas con el alcohol o las drogas?
8. ¿Tratamos cada uno de dominar y explotar a la otra parte?
9. ¿Puedo modificar mis sentimientos negativos acerca de mi matrimonio?
10. ¿Resultado final?

Capítulo 6

El cambio

En este capítulo se ponen de relieve los viajes y la realización de cambios. Hay cuatro tiradas, tres con muestras de lectura y una sin esta. Las tiradas son:

Deseo de un traslado
Realización de un viaje
Una nueva residencia
Planificación de unas vacaciones

La última tirada, «Planificación de unas vacaciones», emplea solo seis cartas y su lectura debería proporcionar información suficiente para satisfacer al interrogador. Cada tirada se relaciona con cambios de algún tipo en la persona indicada y le permitirá tomar decisiones.

Una vez radicada una idea en la mente de una persona, debe ser meditada hasta llegar a una conclusión. Las nuevas ideas nos impulsan hacia delante y son siempre sanas. Nos apartan de los senderos trillados e introducen en un reino desconocido de esperanza y curiosidad. Anhelar una aventura distinta puede resultar muy estimulante y los naipes del Tarot son capaces de aportarnos estas nuevas ideas.

DESEO DE UN TRASLADO

10	9	8
6		7
4		5
3	2	1

1. ¿Cuáles son mis inquietudes respecto de este traslado?
2. ¿En qué estriba el conflicto?
3. ¿Será feliz cuando lleve a cabo ese traslado?
4. ¿Cómo me afectarán mi futura residencia, la nueva zona y el trabajo diverso?
5. ¿Cuáles son respecto del traslado mis opciones en las próximas semanas?
6. ¿Qué decisiones tomé en el pasado que ahora me afectan?
7. ¿Aprenderé nuevas destrezas en el trabajo o en mi casa?
8. ¿Qué me reserva económicamente el futuro?
9. ¿Cuáles son mis esperanzas y temores acerca del traslado?
10. ¿Resultado final?

Deseo de un traslado para Andrea

CARTAS EN LA TIRADA

1.ª	posición	Dos de Oros (invertido)
2.ª	posición	Cuatro de Oros
3.ª	posición	Siete de Copas
4.ª	posición	Nueve de Oros (invertido)
5.ª	posición	Los Enamorados
6.ª	posición	Cuatro de Copas (invertido)
7.ª	posición	La Suma Sacerdotisa
8.ª	posición	As de Oros
9.ª	posición	Ocho de Bastos (invertido)
10.ª	posición	Sota de Oros (invertida)

LECTURA

Pregunta 1: ¿Cuáles son mis inquietudes respecto de este traslado?

Respuesta: Dos de Oros (invertido). Andrea gasta con prodigalidad y no le agrada atenerse a un presupuesto. Considera que así se siente feliz. Teme que el traslado sea caro y solo lleva dos años en este lugar.

Pregunta 2: ¿En qué estriba el conflicto?

Respuesta: Cuatro de Oros. Ya mayor, no sabe si alquilar o comprar. Lo que desearía es alquilar una residencia barata en un lugar agradable. Prefiere conservar sus recursos por razones de seguridad. Posee también una propiedad que ha alquilado a otra persona. Ahora cobra importancia el equilibrio de sus energías en razón de su repentino deseo de trasladarse.

Pregunta 3: ¿Será feliz cuando lleve a cabo ese traslado?

Respuesta: Siete de Copas. ¡Este podría ser el camino hacia la felicidad! Es posible que la visualización creativa cree un entorno que convierta en realidad todos sus sueños. Si Andrea sabe rodearse de pensamientos positivos, encontrará el sitio perfecto.

Pregunta 4:* *¿Cómo me afectarán mi futura residencia, la nueva zona y el trabajo diverso?

Respuesta: Nueve de Oros (invertido). Andrea no administra con prudencia sus finanzas. Viuda desde hace varis años, aún sigue aprendiendo a través de la experiencia en lo que se refiere a cuestiones monetarias. No se siente independiente ni capaz de actuar por sí misma, pero sabe más cada día.

Pregunta 5: ¿Cuáles son respecto del traslado mis opciones en las próximas semanas?

Respuesta: Los Enamorados. Puede elegir entre permanecer en donde se encuentra o regresar a donde antes estuvo. Vive cerca de su hijo, la esposa de este y dos nietos. Estos son quienes le preocupan, pero ha de resolver pronto.

Pregunta 6: ¿Qué decisiones tomé en el pasado que ahora me afectan?

Respuesta: Cuatro de Copas (invertido). La idea de alejarse de sus nietos agobia emocionalmente a Andrea. Reconoce que sus servicios no son empleados por su nuera y la razón de que se mudara a un lugar próximo a su familia fue la de ser útil. La decisión que tomó entonces no fue positiva para ella.

Pregunta 7: ¿Aprenderé nuevas destrezas en el trabajo o en mi casa?

Respuesta: La Suma Sacerdotisa. Andrea es inteligente y sabe bastantes cosas que podría enseñar a otros. Para ella constituirá una experiencia dichosa volver a estar entre sus antiguas amistades y hacer otras nuevas.

Pregunta 8: ¿Qué me reserva económicamente el futuro?

Respuesta: As de Oros. Parece que Andrea no conocerá nuevas situaciones en las que el dinero aporte un nuevo planteamiento económico que sea beneficioso en su existencia.

Pregunta 9: ¿Cuáles son mis esperanzas y temores acerca del traslado?

Respuesta: Ocho de Bastos (invertido). Considera que es débil la comunicación que mantiene con la familia de su hijo. No suelen visitarse y Andrea se siente marginada por su nuera cuando la encuentra en otras reuniones. Teme que, de mudarse, no tendrá un contacto estrecho con ellos. Confía en que les vaya bien y, si puede ser de alguna ayuda, la prestará.

Pregunta 10: ¿Resultado final?

Respuesta: Sota de Oros (invertida). Este naipe se refiere al estudiante que se niega a ganar dinero con destino a sus estudios. La Sota es un signo de la tierra, práctico y material. Los dos pequeños nietos de Andrea son ambos del signo de Tauro y uno de ellos empezará a ir a la escuela en septiembre.

Comentario: Sea cual fuere lo que suceda en la vida de su hijo, Andrea debe tomar las decisiones que a ella conciernen. Puede permanecer en contacto con sus nietos y hacer por ellos cuanto sea posible. Esta tirada ha mostrado bastante, en lo que se refiere a la perspectiva económica, que no es óptima. Andrea necesita prestar interés a otras cosas para lograr la felicidad y consagrarse a obtener el máximo potencial de su existencia.

Deseo de un traslado para Sylvia

CARTAS EN LA TIRADA

1.ª posición	Justicia (invertida)
2.ª posición	El Ermitaño
3.ª posición	Sota de Oros
4.ª posición	Siete de Copas (invertido)
5.ª posición	Dos de Copas (invertido)
6.ª posición	Nueve de Bastos (invertido)
7.ª posición	Templanza
8.ª posición	Caballo de Bastos
9.ª posición	Cinco de Bastos (invertido)
10.ª posición	La Rueda de la Fortuna

LECTURA

Pregunta 1: ¿Cuáles son mis inquietudes respecto de este traslado?

Respuesta: Justicia (invertida). Podrían surgir problemas legales y verse afectada la salud de Sylvia. Considera que su casero actual es muy injusto y ya ha tenido dificultades con otros anteriores; le asusta la idea de padecer a uno nuevo. Preferiría ser propietaria de su nueva residencia y experimenta sentimientos negativos respecto del alquiler.

Pregunta 2: ¿En qué estriba el conflicto?

Respuesta: El Ermitaño. Este naipe refleja el final de una cierta situación que ha sido abordada de una manera positiva. Sylvia tiene que recordar a sus caseros previos y mostrarse agradecida; si ha experimentado juicios negativos acerca de ellos, habrá aprendido repetidas veces la lección. El empleo del saber obtenido a través de la experiencia genera el éxito.

Pregunta 3: ¿Será feliz cuando lleve a cabo ese traslado?

Respuesta: Sota de Oros. Esta es la carta del estudiante que se halla interesado en ganar dinero, desarrollar una carrera profesional y llegar a la cima en el campo que haya elegido. Sylvia es ambiciosa, materialista y un tanto tradicional. Advierte mayores oportunidades para su carrera si se muda, así como la posibilidad de hallar la felicidad en un nuevo entorno.

Pregunta 4: ¿Cómo me afectarán mi futura residencia, la nueva zona y el trabajo diverso?

Respuesta: Siete de Copas (invertido). Este naipe del revés no garantiza el éxito para Sylvia. Podría producirse una pérdida a través del amor o un desgaste emocional por culpa del traslado. Sylvia necesita practicar la visualización creativa y aportar experiencias positivas a su existencia. Ha de tener además más fe y confianza en sus recursos internos.

Pregunta 5: ¿Cuáles son respecto del traslado mis opciones en las próximas semanas?

Respuesta: Dos de Copas (invertido). Sylvia ignora que se encuentra en una época de tensiones emocionales. Se muestra insegura acerca de su orientación y no hay respuestas fáciles para sus preguntas. Tal vez el traslado se demorará más tiempo de lo que suponía o su salud se verá afectada por el estrés.

Pregunta 6: ¿Qué decisiones tomé en el pasado que ahora me afectan?

Respuesta: Nueve de Bastos (invertido). Este naipe del revés alude a planes aplazados y a una falta de sabiduría a través de la experiencia. Sylvia no se manifestó en el pasado receptiva ante la nueva información y quizá haya sido intolerante, crítica e inclinada a censurar. Algunas de las decisiones que adoptó no fueron tan positivas como ella juzgó.

Pregunta 7: ¿Aprenderé nuevas destrezas en el trabajo o en mi casa?

Respuesta: Templanza. Sylvia cuenta con posibilidades de conocer salidas positivas a su energía, para su propio control y al objeto de lograr la armonía en sí misma. También podría aprender a mostrar más paciencia y a templar las necesidades de su ego. Será capaz de aprender nuevas destrezas y quizá se consagre a una o dos aficiones.

Pregunta 8: ¿Qué me reserva económicamente el futuro?

Respuesta: Caballo de Bastos. Este mensajero aporta a Sylvia información concerniente a su trabajo y a sus actividades sociales. Hay buenas noticias relativas a su vida laboral, la planificación de un viaje o un cambio de residencia. El potencial de un futuro brillante y de un bienestar económico parece ser la respuesta para Sylvia a través de esta carta.

Pregunta 9: ¿Cuáles son mis esperanzas y temores acerca del traslado?

Respuesta: Cinco de Bastos (invertido). Tal vez tema alguna pérdida en su actividad económica si lleva a cabo el traslado. No desea combatir por sus ideas y existe una ausencia de fe en sus reflexiones. El miedo de Sylvia se halla concentrado en el trabajo y en la vida social. Debe utilizar en su gestión monetaria la visualización creativa y creer que su fuente interior la guiará en la orientación adecuada.

Pregunta 10: ¿Resultado final?

Respuesta: La Rueda de la Fortuna. Este naipe indica que ya es hora de realizar cambios, correr un albur en un nuevo empeño o viajar. También hay ahora una opción en el juego como distracción o para obtener un beneficio. Esta sería una buena época para que Sylvia lograra hacerse feliz. El éxito que busca le está aguardando: ¡Necesita una actitud positiva y el deseo de vencer!

Comentario: Son muchas las personas relacionadas con Sylvia en su actividad económica y en su vida personal (hay cuatro naipes de Arcanos Mayores y dos cartas de la Corte, todos referentes a individuos que afectan a la interrogadora). Se halla interesada en el cambio y este nunca ha faltado en su vida. Recordando experiencias pasadas, ve que ha alcanzado el éxito en muchos sectores de su existencia y que no es preciso cambiar ahora. Mas, en definitiva, a ella corresponde decidir.

REALIZACIÓN DE UN VIAJE

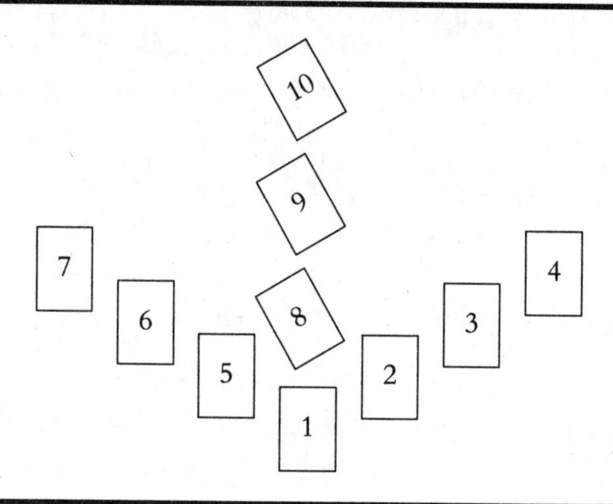

1. ¿Adónde deseo dirigirme?
2. ¿Tengo dinero suficiente?
3. ¿Debería ir con amigos o con la familia?
4. ¿Sería más feliz en un viaje programado?
5. ¿Iré en avión?
6. ¿Iré en barco o en tren?
7. ¿Qué obstáculos se oponen a mi viaje?
8. ¿Qué clase de experiencias conoceré?
9. ¿Encontraré a alguien especial en este viaje?
10. ¿Resultado?

Realización de un viaje para Tara

CARTAS EN LA TIRADA

1.ª posición	Caballo de Bastos (invertido)
2.ª posición	La Suma Sacerdotisa
3.ª posición	El Loco (invertido)
4.ª posición	Sota de Bastos
5.ª posición	Dos de Espadas (invertido)
6.ª posición	Seis de Oros (invertido)
7.ª posición	Reina de Espadas
8.ª posición	Nueve de Espadas (invertido)
9.ª posición	Cinco de Copas (invertido)
10.ª posición	Cuatro de Espadas (invertido)

LECTURA

Pregunta 1: ¿Adónde deseo dirigirme?

Respuesta: Caballo de Bastos (invertido). Este naipe aporta noticias negativas referentes al trabajo y a las actividades sociales, que suponen demoras y frustraciones en el terreno laboral y en la vida de sociedad. Tara y varios de sus amigos proyectaban un viaje en barco, pero dos se han enfadado y se niegan a ir. Todos desean abandonar el plan, pero ella ha puesto sus ilusiones en este viaje. Se muestra trastornada e irritada por el giro que han tomado los acontecimientos.

Pregunta 2: ¿Tengo dinero suficiente?

Respuesta: La Suma Sacerdotisa. Puede permitirse este desplazamiento. Cuenta con dinero bastante para llevar a su perro, al que quiere con locura y no desea dejar en tierra.

Pregunta 3: ¿Debería ir con amigos o con la familia?

Respuesta: El Loco (invertido). Tara requiere más confianza y debe asumir la responsabilidad de tomar sus propias decisiones. Sus amigos se comportan de un modo inmaduro y Tara sentirá que no vayan. Ha aguardado mucho tiempo este viaje y sería estúpido renunciar a la idea.

Pregunta 4: ¿Sería más feliz en un viaje programado?

Respuesta: Sota de Bastos. Esta carta revela ansiedad por experimentar la vida y conocer otros ambientes. Tara necesita un cambio, nuevas actividades y una emoción en su existencia, puesto que rara vez abandona el lugar en donde reside. Desea realmente participar en este crucero programado.

Pregunta 5: ¿Iré en avión?

Respuesta: Dos de Espadas (invertido). No quiere volar. Aunque jamás ha viajado antes en avión, siente miedo del vuelo; para ella un crucero es lo ideal. Se trata de una expedición turística que le brinda alojamiento y comida. ¡Tara gusta de la buena mesa, así que quedarán cubiertas todas sus necesidades! No quiere enfrentarse con ningún problema, simplemente desea ir en ese viaje.

Pregunta 6: ¿Iré en barco o en tren?

Respuesta: Seis de Oros (invertido). Las vacaciones están ya planificadas y transcurrirán en un barco. Tara accedió a ir y puede permitírselo, aunque quizá tema perder la reserva efectuada. Tal vez no vaya si sus amigos no dejan de pelearse.

Pregunta 7: ¿Qué obstáculos se oponen a mi viaje?

Respuesta: Reina de Espadas. Este naipe alude a una mujer que es libra, como Tara. Los seres del signo de Libra suelen tropezar con problemas a la hora de adoptar decisiones, temiendo que no sean las oportunas. Eso significa que ella crea sus propios obstáculos y duda en gastar su dinero en viajes de placer. Tara se halla acostumbrada a vivir entre problemas y rara vez dedica un tiempo a su propio regalo.

Pregunta 8: ¿Qué clase de experiencias conoceré?

Respuesta: Nueve de Espadas (invertido). Teme no disfrutar del viaje. No pasa por una crisis, pero podría crear su propia situación dramática en razón de su inseguridad, la escasa estimación que siente por sí misma o de su indecisión (un rasgo de libra).

Pregunta 9: ¿Encontraré a alguien especial en este viaje?

Respuesta: Cinco de Copas (invertido). Esta carta indica que Tara se niega a creer en el amor o en los encuentros románticos. Se siente emocionalmente agobiada por su familia y la pérdida de sus padres. Sigue escuchando las cintas que oía en los tiempos de sus antiguas relaciones y considera que ha dejado atrás su mejor época. Es una solitaria, pero todavía bastante joven para establecer un nuevo vínculo si lo desea.

Pregunta 10: ¿Resultado?

Respuesta: Cuatro de Espadas (invertido). No comprende sus problemas y dificultades. Trabaja demasiado y acaba de ser trasladada de puesto; ahora su problema estriba en «si vamos o nos quedamos». Pero todavía no se han tomado las decisiones correspondientes y el viaje sigue en el aire.

Comentario: Ha transcurrido mucho tiempo desde que Tara hizo algo bueno por sí misma. Tras la lectura, quedó casi convencida de que debería ir. Una de sus amigas se brindó a acompañarla si lo deseaba; las cosas se desarrollarían bien en el caso de que fuesen las dos solas. Claro está que siempre resulta más divertido formar parte de un grupo, pero si eso no funciona, vale la pena ir aunque sea sin ningún acompañamiento. ¿Por qué no? Con tantas cartas del revés en esta tirada, lo más probable es que el viaje no tenga lugar.

Tirada de un viaje para Jody

CARTAS EN LA TIRADA

1.ª posición	As de Espadas
2.ª posición	Los Enamorados
3.ª posición	La Luna
4.ª posición	Cuatro de Bastos
5.ª posición	Reina de Oros
6.ª posición	El Diablo (invertido)
7.ª posición	Tres de Espadas
8.ª posición	Diez de Copas
9.ª posición	El Sumo Sacerdote
10.ª posición	La Muerte

LECTURA

Pregunta 1: ¿Adónde deseo dirigirme?

Respuesta: As de Espadas. Jody ha estado pensando en tomar unas vacaciones, pero no ha decidido a qué sitio le gustaría ir. Considera que en su vida personal tiene nuevos problemas que resolver y que no podría realizar un viaje.

Pregunta 2: ¿Tengo dinero suficiente?

Respuesta: Los Enamorados. Jody debe adoptar decisiones en su existencia. Si asume sus responsabilidades y tiene fe en su fuente interior, comprenderá cuántas son sus perspectivas. Este es el momento de realizar un viaje o de que surjan otros acontecimientos felices. El naipe advierte asimismo que Jody debería atender ahora a sus necesidades en lo que a la salud atañe.

Pregunta 3: ¿Debería ir con amigos o con la familia?

Respuesta: La Luna. Jody experimenta todo género de temores y debe decidir si estará más a gusto entre amigos o con la familia. Se siente trastornada por sus emociones y acaba considerándose una víctima. No siempre desea ver la verdad y algunos de sus amigos no son leales.

Pregunta 4: ¿Sería más feliz en un viaje programado?

Respuesta: Cuatro de Bastos. Esta carta se refiere al matrimonio, el trabajo y las actividades sociales. Tal vez Jody debería pensar en efectuar un viaje programado en cuyo transcurso conociera a otras personas. Ha de entender que tiene derecho a decidir adónde ir y con quién. ¡La relación será equilibrada y fructífera, y esas son buenas noticias!

Pregunta 5: ¿Iré en avión?

Respuesta: Reina de Oros. Jody tendría que enterarse de los costes del viaje. Es idealista y perfeccionista, así que determinará previamente todos los detalles. Trabaja para hacer dinero y le cuesta gastarlo. Su decisión de utilizar el avión quedará determinada por el coste.

Pregunta 6: ¿Iré en barco o en tren?

Respuesta: El Diablo (invertido). Jody siente una preferencia. Quiere efectuar un viaje pero no desea gastar mucho dinero. Optaría por unas vacaciones en barco si el precio no es exorbitante.

Pregunta 7: ¿Qué obstáculos se oponen a mi viaje?

Respuesta: Tres de Espadas. Tiene que comprender que crea sus propios problemas. Sus hermanos desean participar también en la excursión, pero no se ponen de acuerdo en las fechas. La decisión de Jody debe estar basada en sus propias necesidades, pues de otro modo es posible que pierda la oportunidad de ir. Juzga asimismo que algunos miembros de su familia la engañan para que no emprenda ese viaje.

Pregunta 8: ¿Qué clase de experiencias conoceré?

Respuesta: Diez de Copas. Jody experimentará grandes cambios en su vida amorosa y emocional. El viaje ha de tener lugar forzosamente en este momento. Podría surgir una nueva relación, felicidad y armonía para ella si toma una decisión positiva en su beneficio.

Pregunta 9: ¿Encontraré a alguien especial en este viaje?

Respuesta: El Sumo Sacerdote. Existe la posibilidad de que Jody aprenda mucho en este viaje. Tal vez se refiera a su fuente interior o a alguien a quien encuentre. Será un tiempo de meditación, de silencio y de confianza en su intuición.

Pregunta 10: ¿Resultado?

Respuesta: La Muerte. Concluyen ahora situaciones anteriores y Jody posee planes e ideas nuevos para el futuro que denotan un cambio favorable. Tiene que mostrarse receptiva al amor, abandonar viejos hábitos y desembarazarse de sus resentimientos. Es capaz de emplear sus energías para manifestar una vida más colmada y rica.

Comentario: Desprenderse de hábitos antiguos representa una cuestión importante para cualquiera. La meditación y la visualización creativa transformarán la vida de una persona. Jody ha de tener fe en sí misma y en su fuente interior para saber que jamás se encuentra sola.

TIRADA DE UNA NUEVA RESIDENCIA

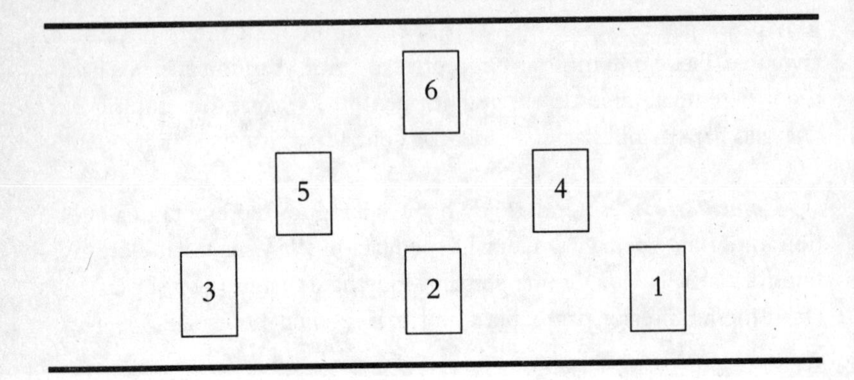

1. ¿Por qué deseo mudarme?
2. ¿Existen posibilidades de un nuevo empleo?
3. ¿Representa ese lugar un problema respecto de mi salud?
4. ¿Será económicamente rentable mi traslado?
5. ¿Me sentiré feliz en mi nuevo domicilio?
6. ¿Es posible que se trate de un traslado definitivo?

Tirada de una nueva residencia para Marty

CARTAS EN LA TIRADA

1.ª posición	As de Espadas
2.ª posición	Sota de Oros
3.ª posición	Rey de Oros (invertido)
4.ª posición	As de Bastos
5.ª posición	Reina de Bastos (invertida)
6.ª posición	Dos de Oros (invertido)

LECTURA

Pregunta 1: ¿Por qué deseo mudarme?

Respuesta: As de Espadas. Marty concluyó una relación y sufrió en la familia una pérdida que le ha hecho muy desgraciado. Los ases siempre denotan nuevos comienzos y es posible que Marty advierta que surgen ante él problemas diferentes.

Pregunta 2: ¿Existen posibilidades de un nuevo empleo?

Respuesta: Sota de Oros. Es considerable el potencial para un nuevo puesto, al igual que el de estudios más avanzados emparejados con su trabajo. Podría significar una formación en curso de empleo, que Marty aceptase.

Pregunta 3: ¿Representa ese lugar un problema respecto de mi salud?

Respuesta: Rey de Oros (invertido). Cabe la posibilidad de que padezca problemas de salud si se torna perezoso, demasiado concentrado en placeres sensuales o falto de sentido práctico respecto del dinero. Marty es Virgo, y las cuestiones del trabajo y de la salud son las que principalmente lo impulsan. La respuesta radica en el equilibrio. Los oros se refieren a la tierra. Esos signos son Tauro (Rey de Oros), Virgo (Reina de Oros) y Capricornio (Sota de Oros). Los signos de la tierra resultan materiales y prácticos cuando son positivos, pero avariciosos y codiciosos cuando son negativos.

Pregunta 4: ¿Será económicamente rentable mi traslado?

Respuesta: As de Bastos. Marty conocerá nuevos comienzos en su trabajo y en la vida social. Con este paso aparecerán nuevas posibilidades para él tanto económica como socialmente. Debe aguardar un momento atrayente durante este periodo.

Pregunta 5: ¿Me sentiré feliz en mi nuevo domicilio?

Respuesta: Reina de Bastos (invertida). Este naipe puede indicar a un jefe absorbente, dominante y que le exija mucho. Marty tendrá que realizar una buena tarea y ser puntual y eficiente para complacer a esa persona. Puede que alcance la felicidad si presta atención a su trabajo.

Pregunta 6: ¿Es posible que se trate de un traslado definitivo?

Respuesta: Dos de Oros (invertido). Marty debe aprender acerca de su tarea tanto como esté en su mano, cuidar de su dinero y permanecer sano. Es desde luego posible que esta carta denote en cuestiones económicas una falta de equilibrio que él habrá de superar.

Comentario: Tal vez sea beneficioso este paso para Marty. Cambiaría de entorno y de empleo y dispondría de más opciones potenciales para nuevas relaciones. Ahora ha llegado el instante de arriesgarse a adoptar tal medida y acometer el nuevo empeño.

PLANIFICACIÓN DE UNAS VACACIONES

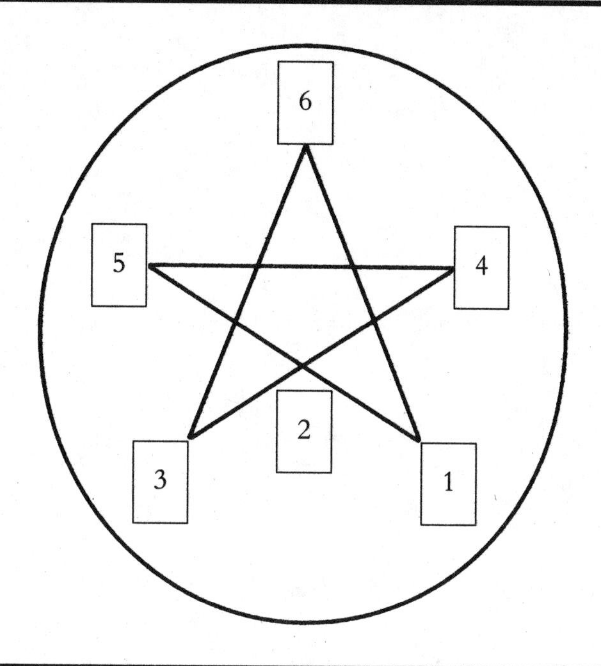

1. ¿Qué clase de vacaciones prefiero?
2. ¿Iré solo?
3. ¿Iré con otros?
4. ¿Disfrutaré por mi cuenta y conoceré a alguien?
5. ¿Surgirán problemas económicos? ¿Problemas físicos?
6. ¿Necesito ahora unas vacaciones?

Capítulo 7

A la búsqueda del conocimiento de sí mismo

ESTE capítulo contiene tiradas que proporcionan información acerca del interesado. Las tiradas son las de:

Todo acerca de mi persona
¿Cuál es mi destino?
Hacer frente a mis temores
Antiguos hábitos
Información sobre el pasado-el presente-el futuro

Las cuatro primeras tiradas constan de ejemplos que te darán una idea sobre el modo de aplicar las cartas del Tarot a cada una. La última, «Información sobre el pasado-el presente-el futuro», carece de tal muestra de lectura, otorgándote la oportunidad de poner a prueba tu intuición.

Las cinco tiradas se concentran en el individuo y sus experiencias. Cada una ahonda en su espíritu y contribuye a la curación de los sentimientos negativos de esa persona. Si alguien busca ayuda con el fin de transformar su existencia, estas son las mejores tiradas para tal propósito.

En la práctica de las lecturas, la más a menudo elegida es «Todo acerca de mi persona».

TODO ACERCA DE MI PERSONA

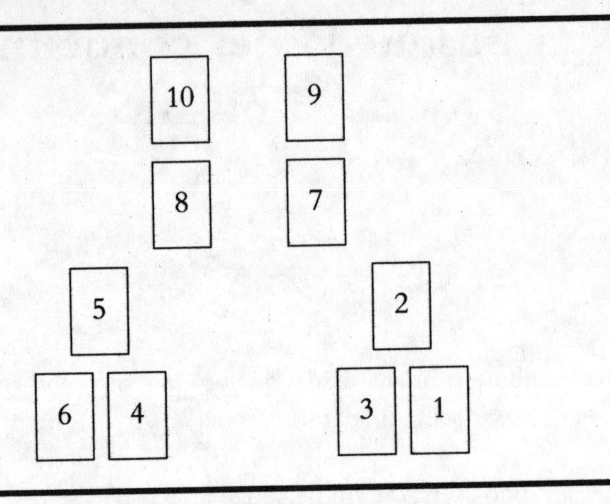

1. ¿Cómo satisfago las necesidades de mi ego?
2. ¿Qué influencia ejerce mi madre todavía en mí?
3. ¿Reacciono ante la influencia de mi padre?
4. ¿Empleo mis juicios de valor en contra de mis intereses?
5. ¿Es positiva mi respuesta al sexo y al cuerpo físico?
6. ¿Son buenas para mí las decisiones que tomo respecto de las relaciones?
7. El éxito es mi objetivo. ¿Tengo bastante fe en el triunfo?
8. ¿Se hallan mis actividades económicas afectadas por creerme en un estado de privación?
9. ¿Por qué me siento víctima?
10. ¿De qué modo puedo cambiar mi existencia?

Todo acerca de mi persona para Kerry

CARTAS EN LA TIRADA

1.ª posición	Ocho de Oros
2.ª posición	Nueve de Espadas (invertido)
3.ª posición	La Emperatriz
4.ª posición	Diez de Espadas (invertido)
5.ª posición	Diez de Copas
6.ª posición	Templanza (invertida)
7.ª posición	Tres de Copas
8.ª posición	Dos de Copas
9.ª posición	El Juicio (invertido)
10.ª posición	Cinco de Espadas

LECTURA

Pregunta 1: ¿Cómo satisfago las necesidades de mi ego?

Respuesta: Ocho de Oros. Kerry es profesora de una escuela y posee la fortaleza suficiente para desempeñar bien su trabajo. Está aprendiendo acerca de la política y las necesidades del ego. Aspiró a ser elegida coordinadora de su centro docente, mas perdió por un estrecho margen. Entonces era bisoña, pero ahora conoce el terreno que pisa. Debe probar en otra dirección para atender a las exigencias de su ego

Pregunta 2: ¿Qué influencia ejerce mi madre todavía en mí?

Respuesta: Nueve de Espadas (invertido). Kerry careció de sabiduría en lo referente a su madre. Pasó por una crisis suscitada por sus problemas pero no le habló del asunto. En su familia fueron diez hermanos y Kerry desea que su progenitora la ame y acepte aunque sea una rebelde. La pregunta es esta: ¿Qué puede hacer su madre para demostrar que quiere a Kerry?

Pregunta 3: ¿Reacciono ante la influencia de mi padre?

Respuesta: La Emperatriz. El padre de Kerry es afable y cariñoso, y ella lo quiere, pero quizá no lo haya respetado. Cuando el padre se muestra amable y cordial y la madre (La Emperatriz) lleva la voz cantante, un niño no está seguro de quién manda en casa. Si Kerry necesitó protección de pequeña y su padre no supo proporcionarla, ella se sentirá vulnerable ante los varones. Esta tergiversación se presenta cuando el padre desempeña el papel del modelo masculino para todas las mujeres del hogar. Los problemas de Kerry con los hombres proceden de un condicionamiento previo y ella está modificando algunas de sus creencias.

Pregunta 4: ¿Empleo mis juicios de valor en contra de mis intereses?

Respuesta: Diez de Espadas (invertido). Kerry sigue portando sus problemas como un fardo. Desea el cambio, pero este solo será posible si logra alterar su manera de pensar. Este naipe denota que quizá se juzga a sí misma harto severamente.

Pregunta 5: ¿Es positiva mi respuesta al sexo y al cuerpo físico?

Respuesta: Diez de Copas. Sí. Desde que Kerry comenzó a operar con el Tarot cambió su concentración y ahora se ha colocado en un nivel emocional superior. El arco iris de la carta es un signo de buena suerte y su vida hogareña ha mejorado. Los cambios que lleva a cabo Kerry son sanos.

Pregunta 6: ¿Son buenas para mí las decisiones que tomo respecto de las relaciones?

Respuesta: Templanza (invertida). No son positivas las decisiones que adopta Kerry en lo que atañe a sus relaciones. Existía una falta de equilibrio en ella o en su pareja. Tal situación originó un desgaste emocional y una considerable infelicidad para Kerry o su pareja. Debe tener en cuenta cómo se ha manifestado en sus relaciones y sería preciso que reconsiderara sus necesidades antes de implicarse con otra persona.

Pregunta 7: El éxito es mi objetivo. ¿Tengo bastante fe en el triunfo?

Respuesta: Tres de Copas. Este naipe asevera que Kerry es la autora de sus relaciones, tal como ella dice: «Hago mi amor y mis relaciones, consigo ser feliz y logro mis placeres». Sus vínculos no parecen ser positivos y revela una falta de fe en esa parte de su existencia. Resulta indiscutible su capacidad para triunfar en el trabajo.

Pregunta 8: ¿Se hallan mis actividades económicas afectadas por creerme en un estado de privación?

Respuesta: Dos de Copas. Kerry sabe cuán sano es hallarse en el seno de una buena relación, mas por el momento carece de pareja. Parece existir un deseo de ayudar a otros y de ser cariñosa, pero no quiere comprometerse en exceso. Quizá no desea gastar dinero en una relación solo por mantenerla. Kerry reconoció que su situación económica es deficiente y pretende dedicar el verano a realizar un trabajo adicional en vez de dilapidar sus recursos.

Pregunta 9: ¿Por qué me siento víctima?

Respuesta: El Juicio (invertido). Kerry no presta verdadera atención a sus propios vínculos ni los entiende a fondo. No comprende su propia naturaleza, pero ahora estudia el Tarot y eso le proporcionará un nuevo saber acerca de sí misma. Empieza a comprender que interpreta su propia vida y que es ella la que se hace víctima.

Pregunta 10: ¿De qué modo puedo cambiar mi existencia?

Respuesta: Cinco de Espadas. Kerry estima que sus relaciones se hallan muy deterioradas. No debe luchar constantemente con los demás para imponerse. Tiene que poseer confianza en sí misma y hacer lo que le convenga. ¡Sobrevendrán cambios!

Comentario: Debe desembarazarse de las presiones que la acucian y disfrutar ahora de la vida ¡Qué abandone las batallas y aprenda a amarse a sí misma!

Todo acerca de mi persona para Gail

CARTAS EN LA TIRADA

1.ª posición	Tres de Bastos (invertido)
2.ª posición	El Diablo
3.ª posición	Seis de Copas
4.ª posición	As de Oros (invertido)
5.ª posición	Los Enamorados (invertido)
6.ª posición	Cuatro de Copas
7.ª posición	Siete de Espadas (invertido)
8.ª posición	Seis de Oros (invertido)
9.ª posición	El Ermitaño
10.ª posición	Seis de Espadas (invertido)

LECTURA

Pregunta 1: ¿Cómo satisfago las necesidades de mi ego?

Respuesta: Tres de Bastos (invertido). Gail no emplea la visualización creativa para lograr lo que desea en el trabajo o en su vida social. No consigue ser feliz, no realiza viajes ni comunica sus anhelos. Debe preguntarse lo que su ego precisa al objeto de obtenerlo.

Pregunta 2: ¿Qué influencia ejerce mi madre todavía en mí?

Respuesta: El Diablo. Se siente oprimida por su madre. Esta se halla concentrada en el materialismo y Gail se ve sometida a su influencia. Será capaz de liberarse en cualquier momento si considera lo que todavía pretende de su progenitora.

Pregunta 3: ¿Reacciono ante la influencia de mi padre?

Respuesta: Seis de Copas. Sus padres se divorciaron cuando era muy pequeña. Gail debe elegir entre retener pasados agravios y sentimientos de rechazo o perdonar a su padre. Todavía aguarda el cariño de él y esa ausencia representa un obstáculo en sus relaciones.

Pregunta 4: ¿Empleo mis juicios de valor en contra de mis intereses?

Respuesta: As de Oros (invertido). Se juzga a sí misma y se niega muchas experiencias de la vida. Acaba de obtener un nuevo empleo y gana más dinero, pero aún se siente insegura respecto de su situación económica. Ha de preguntarse cómo estima su existencia y si se considera valiosa. Es posible que esas respuestas cambien su vida.

Pregunta 5: ¿Es positiva mi respuesta al sexo y al cuerpo físico?

Respuesta: Los Enamorados (invertido). No. Tal vez se niegue Gail a buscar una nueva pareja porque su última relación todavía no ha quedado atrás por completo. No tiene más elección en la materia que terminarla. Gail afirma que ahora son amigos.

Pregunta 6: ¿Son buenas para mí las decisiones que tomo respecto de las relaciones?

Respuesta: Cuatro de Copas. Gail reflexiona sobre sus relaciones previas y no presta atención a lo que ahora se le brinda. Si sus parejas no se mostraron positivas, entonces es que no elige bien. Al modificar sus creencias, cambiará también sus elecciones. Ha de comprender que se halla desequilibrada y que le asusta confiar en su corazón por temor a resultar herida. Como El Emperador, ella es quien manda, iniciadora, independiente y rebosante de buenas ideas. Asume su vida en todo momento.

Pregunta 7: El éxito es mi objetivo. ¿Tengo bastante fe en el triunfo?

Respuesta: Siete de espadas (invertido). No se encuentra en la vía material y física. Carece de fe en sí misma y a menudo se considera burlada. También juzga que otras personas son las autoras de sus problemas en vez de atribuirse la responsabilidad de sus propias acciones. El éxito siempre es posible cuando un ser humano posee fe y confianza en sí mismo.

Pregunta 8: ¿Se hallan mis actividades económicas afectadas por creerme en un estado de privación?

Respuesta: Seis de Oros (invertido). Juzga que no tiene elección en cuestiones económicas y cree que son otros quienes controlan su dinero. Quizá no desee compartir sus recursos y se estime culpable. Compartir es natural, pero un niño obligado a tal comportamiento puede tornarse resentido y negarse a ser generoso. Esta actitud conduce a creer en la propia privación.

Pregunta 9: ¿Por qué me siento víctima?

Respuesta: El Ermitaño. Se advierte sola y carente del amor de alguien. El Ermitaño es Virgo, como su padre, que siempre se mostró muy crítico e intolerante. Gail rara vez lo ve y le agradaría disfrutar de una relación mejor con él. Busca un maestro o un guía interior.

Pregunta 10: ¿De qué modo puedo cambiar mi existencia?

Respuesta: Seis de Espadas (invertido). Piensa que no tiene opciones a la hora de modificar su existencia, pero lo cierto es que puede elegir. Debe construir su vida a través de un cambio en su manera de pensar. La meditación y la visualización constituyen métodos eficaces. ¡El pensamiento es el destino!

Comentario: Los padres se hallan aquí para orientarnos, no para llevarnos a lo largo de la vida. Pregúntate lo que deseas de ellos y después libérate. ¡Prueba el amor y el perdón!

Todo acerca de mi persona para Ruth

CARTAS EN LA TIRADA

1.ª posición	Diez de Espadas
2.ª posición	Tres de Espadas (invertido)
3.ª posición	Justicia
4.ª posición	Caballo de Oros (invertido)
5.ª posición	Seis de Copas
6.ª posición	As de Bastos (invertido)
7.ª posición	Cuatro de Copas (invertido)
8.ª posición	Siete de Bastos
9.ª posición	El Emperador (invertido)
10.ª posición	El Diablo (invertido)

LECTURA

Pregunta 1: ¿Cómo satisfago las necesidades de mi ego?

Respuesta: Diez de Espadas. Esta carta indica que Ruth experimentará grandes cambios en sus problemas y dificultades. Se siente estancada e incapaz de moverse, pero pronto desaparecerá parte de la carga que gravita sobre ella. Cuando se desarrollen tales cambios, también se modificará su actitud mental. Si aguarda a que alguien atienda a las necesidades de su ego, no quedará satisfecha y quizá sufra una decepción. Debe colmar las exigencias de su propio ego, sin esperar a que otros se encarguen de la tarea.

Pregunta 2: ¿Qué influencia ejerce mi madre todavía en mí?

Respuesta: Tres de Espadas (invertido). Ruth considera que ella no es la autora de sus propios problemas, que son otros los responsables de sus dificultades. Padece un complejo de rechazo y se advierte insegura. Algunos de sus amigos se han revelado indignos de su confianza y se siente confusa. Siempre ha tenido problemas con su madre y juzga que jamás fue aceptada por ella. Ruth y sus dos hijas viven ahora con su madre y ella experimenta al respecto una cierta sensación de culpa. Ruth y una amiga proyectan realizar un crucero. Tal vez Ruth considera que no debería emprender ese viaje, gastando su dinero en placeres y distracciones.

Pregunta 3: ¿Reacciono ante la influencia de mi padre?

Respuesta: Justicia. Admitió que se consideró abandonada por su padre. Está divorciada y le trastorna el hecho de que sus dos hijas experimenten asimismo igual sensación de abandono respecto de su propio progenitor. De niña, Ruth quería a su padre, pero se creyó rechazada por él y esa circunstancia fijó una pauta para sus relaciones con otros hombres. Es difícil romper con los antiguos hábitos, sobre todo cuando una persona se niega a reconocer que dan lugar al mismo tipo de experiencias. Ruth se mostró de acuerdo con este análisis.

Pregunta 4: ¿Empleo mis juicios de valor en contra de mis intereses?

Respuesta: Caballo de Oros (invertido). Este caballo no trae buenas noticias acerca del dinero o denota que no se recibieron mensajes. Hay demoras o fallos en los planes existentes y es posible que Ruth se niegue a sí misma el sexo, un hogar o el dinero en razón de sus primeras experiencias con sus padres. Emplea contra su persona sus juicios de valor.

Pregunta 5: ¿Es positiva mi respuesta al sexo y al cuerpo físico?

Respuesta: Seis de Copas. Ruth vive en el pasado y sus recuerdos no son muy positivos. Debe asumir la responsabilidad de sus éxitos sexuales. Le sobran kilos, lo que no es conveniente para su cuerpo ¿Quién podría cuidar de sus propias necesidades si la propia Ruth no se ocupa de la tarea? Ha de adoptar medidas.

Pregunta 6: ¿Son buenas para mí las decisiones que tomo respecto de las relaciones?

Respuesta: As de Bastos (invertido). Esta carta no refleja nuevos comienzos en el trabajo o en la vida de sociedad. Hay planes cancelados y surgen demoras y frustraciones. Ruth no respeta a los varones y, en consecuencia, cualquier relación que ella suscitase sería problemática. A través de la comprensión, podría cambiar de actitud y modificar su existencia.

Pregunta 7: El éxito es mi objetivo. ¿Tengo bastante fe en el triunfo?

Respuesta: Cuatro de Copas (invertido). No advierte que se aparta ella misma del triunfo. No se siente amada, teme establecer un compromiso y ha experimentado desengaños en sus relaciones. Sus expectativas carecen de realismo, lo que le impide implicarse. Carece de equilibrio, no siempre se muestra sincera y reconocer haber sido perezosa. La fe en la victoria procede del amor hacia la propia persona y de hallarse dispuesta a progresar hacia sus metas.

Pregunta 8: ¿Se hallan mis actividades económicas afectadas por creerme en un estado de privación?

Respuesta: Siete de Bastos. Le gustaría imaginar que realiza una tarea excelente en su empleo. Posee capacidad para triunfar en los negocios o en la vida social si desea el éxito. Es una cáncer que necesita sentirse nutrida, segura y firme. Contar con un hogar propio es una cuestión importante, pero ella sigue viviendo con su madre y trabaja a media jornada.

Pregunta 9: ¿Por qué me siento víctima?

Respuesta: El Emperador (invertido). No tiene conciencia de sus posibilidades. Es miedosa, inmadura, carece de equilibrio y no siempre procede con honradez. Podría ser una líder, una directora o gestora. No es tan cordial y cariñosa como ella supone y gusta de dominar en su entorno. Es una buena actriz y cree en el papel que interpreta. Ruth se convierte en una víctima sin advertir lo que hace. Ha llegado el momento de que despierte y efectúe cambios.

Pregunta 10: ¿De qué modo puedo cambiar mi existencia?

Respuesta: El Diablo (invertido). Tiene que aprender a no ser tan egoísta, a sentirse segura y a no concentrarse en las posesiones materiales. Sería capaz de asumir una responsabilidad mayor respecto de su vida y de constituir un ejemplo para sus hijas. La pérdida de peso debería representar otra prioridad y así conseguiría sentirse orgullosa de sí misma. ¡Si logra todo eso, su vida mejorará de un modo indudable!

Comentario: Una persona manifiesta en su vida aquello en lo que cree. Solo disponemos de la conciencia para actuar, y si prestamos atención a nuestras reflexiones comprenderemos por qué nuestras vidas son lo que son. A través de las cartas del Tarot y de sus significados aplicadas a sus propios asuntos, Ruth logró ver cómo podría modificar su existencia. Si corre un albur, su vida se tornará diferente y más placentera.

¿CUÁL ES MI DESTINO?

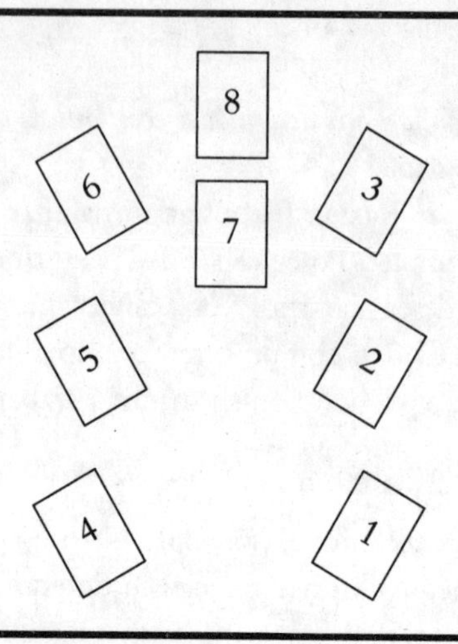

1. ¿Cambiará pronto mi vida?
2. ¿Conoceré una nueva relación atrayente y apasionada?
3. ¿Qué posibilidades hay de que retorne mi antigua pareja?
4. ¿Cuál es mi potencial para ganar o heredar dinero?
5. ¿Existe un viaje en mi futuro?
6. ¿Desarrollo mi karma?
7. ¿Tendré una vida larga y dichosa?
8. ¿Me casaré más de una vez?

Cuál es mi destino para Eric

CARTAS EN LA TIRADA

1.ª posición	Sota de Oros
2.ª posición	Siete de Espadas (invertido)
3.ª posición	El Diablo (invertido)
4.ª posición	La Estrella (invertida)
5.ª posición	La Luna (invertida)
6.ª posición	El Ahorcado (invertido)
7.ª posición	Rey de Copas
8.ª posición	Cuatro de Bastos

LECTURA

Pregunta 1: ¿Cambiará pronto mi vida?
Respuesta: Sota de Oros. Esta sota indica a un estudioso. Esta persona desea ganar dinero para ir a la universidad y recibir una buena educación. Eric está a punto de cumplir quince años y se halla resuelto a iniciar una carrera de matemáticas o ciencias. Su familia y él pasan ahora unas vacaciones en la California septentrional, así que conoce cambios en este periodo.

Pregunta 2: ¿Conoceré una nueva relación atrayente y apasionada?
Respuesta: Siete de Espadas (invertido). Eric no tiene por el momento relación alguna. No le gustaba abandonar a sus amigos y a punto estuvo de negarse a acompañar a su familia en este viaje. Se halla demasiado consagrado a su trabajo escolar y es un tanto inmaduro para conocer una relación con una chica.

Pregunta 3: ¿Qué posibilidades hay de que retorne mi antigua pareja?
Respuesta: El Diablo (invertido). Eric no tiene ningún amor antiguo o presente. Pero experimenta ya menos egoísmo o codicia por las posesiones materiales. Comienza a asumir responsabilidades y a enfrentarse con la realidad de la existencia. Un cambio de dieta le proporcionará mejor salud.

Pregunta 4: ¿Cuál es mi potencial para ganar o heredar dinero?

Respuesta: La Estrella (invertida). No es optimista acerca de su carrera, la vida en general o sus metas. Tiene algunas ideas vagas, pero se aburre con facilidad. Debe cambiar ahora su sistema de creencias con el fin de lograr una vida más productiva. Es un Virgo, y las personas de ese signo siempre consideran que deben esforzarse para conseguir cualquier cosa que pretendan. ¡Una victoria fácil significaría contradecir sus opiniones!

Pregunta 5: ¿Existe un viaje en mi futuro?

Respuesta: La Luna (invertida). Se encuentra ahora viajando. Su madre es profesora y organiza los desplazamientos de todos con la idea de que resulten instructivos. Eso no siempre agrada al resto de la familia, que se siente forzada a acompañarla. Eric experimenta una tensión emocional al no conseguir imponer sus preferencias.

Pregunta 6: ¿Desarrollo mi karma?

Respuesta: El Ahorcado (invertido). Este naipe alude a una persona que no confía en su fuente interior ni acepta a la ligera una información nueva. Eric se revela testarudo y su concentración es física y material, lo que a menudo le empuja a adoptar una actitud defensiva. Con la madurez modificará algunas de estas ideas, y otro tanto sucederá a su existencia.

Pregunta 7: ¿Tendré una vida larga y dichosa?

Respuesta: Rey de Copas. Este rey representa a un anciano, por lo que alude a una larga vida. Eric será feliz cuando se desarrolle y se torne cordial, atento y solícito. Si se advierte seguro en su vida profesional y dentro de sí mismo, conocerá una existencia excelente y plácida.

Pregunta 8: ¿Me casaré más de una vez?

Respuesta: Cuatro de Bastos. Eric cree que cuando contraiga matrimonio, su unión será permanente, equilibrada y fructífera. Desea una relación sólida, en donde los dos trabajen juntos y disfruten de una buena vida social.

Comentario: Como cabe advertir, incluso a los catorce años, la mente de una persona puede hallarse ya dotada de sistemas de creencias. Eric se mostró aprensivo cuando le pedí que se sometiera a esta lectura y todas las cartas invertidas denotan su repugnancia a participar. Es un chico inteligente y de manos muy diestras. Posee grandes posibilidades.

Cuál es mi destino para Valery

CARTAS EN LA TIRADA

1.ª posición	El Mundo
2.ª posición	Siete de Espadas (invertido)
3.ª posición	Sota de Espadas (invertida)
4.ª posición	La Rueda de la Fortuna
5.ª posición	Cuatro de Espadas (invertido)
6.ª posición	Cinco de Bastos
7.ª posición	Reina de Oros
8.ª posición	Rey de Copas

LECTURA

Pregunta 1: ¿Cambiará pronto mi vida?

Respuesta: El Mundo. Esta carta se refiere al éxito en todos los empeños y al logro de todos los objetivos. Valery debe tener fe en que todo va bien. Habrá nuevas oportunidades, un viaje, un empleo distinto o un cambio de residencia. Cuenta con la ayuda de una fuente interior y su victoria se halla asegurada.

Pregunta 2: ¿Conoceré una nueva relación atrayente y apasionada?

Respuesta: Siete de Espadas (invertido). Si surge una nueva relación, concluirá pronto. Valery crea sus propios problemas, aunque sean pasajeros. Quizá se sienta engañada o pierda objetos valiosos y debería tener cuidado al conocer a otras personas. Ha de disponerse para nuevas experiencias, mostrándose abierta y sincera.

Pregunta 3: ¿Qué posibilidades hay de que retorne mi antigua pareja?

Respuesta: Sota de Espadas (invertida). Este naipe presenta muchas dificultades y quizá aluda a alguien incapaz de razonar con discernimiento. Es posible que la antigua pareja de Valery no sea una persona mentalmente estable. Ella debe examinar sus motivos si desea que retorne a su existencia.

Pregunta 4: ¿Cuál es mi potencial para ganar o heredar dinero?

Respuesta: La Rueda de la Fortuna. Esta carta denota que ha llegado para Valery el momento de correr un riesgo, de apostar o de realizar un viaje. Sobreviene la época de romper en los negocios o en las relaciones con antiguos lazos que suponen una traba. Tiene que buscar la felicidad, mostrarse positiva y permanecer sana. En este tiempo resulta probable el éxito en cuestiones monetarias.

Pregunta 5: ¿Existe un viaje en mi futuro?

Respuesta: Cuatro de Espadas (invertido). Un viaje resulta beneficioso en este momento y el descanso podría contribuir a su salud. Está superando los límites de su organismo físico y crea para sí una tensión íntima. Necesita un cambio en su entorno y un viaje constituye la mejor respuesta.

Pregunta 6: ¿Desarrollo mi karma?

Respuesta: Cinco de Bastos. En la tarea del desarrollo de su karma, Valery podría tratar de ser más cariñosa y de comprender mejor a los demás. Padece una disensión familiar y las insidias de muchos compañeros de trabajo. Valery desea promover sus propias ideas en el trabajo y en la vida social, pero las necesidades de su ego son susceptibles de suscitar contradicciones en su existencia y han de ser frenadas.

Pregunta 7: ¿Tendré una vida larga y dichosa?

Respuesta: Reina de Oros. Esta carta se relaciona con cuestiones de la salud y con ganar dinero. Valery revela unas opiniones críticas; es una idealista y una perfeccionista. Ostenta un signo de la tierra, y como norma estas personas poseen cuerpos sanos y fuertes. Es posible que su vida sea larga y debe optar por la felicidad.

Pregunta 8: ¿Me casaré más de una vez?

Respuesta: Rey de Copas. Es un naipe emotivo, cariñoso, solícito y atento. Casado, se comporta como un buen padre de familia. Perseverará mientras se sienta seguro en una situación. Valery haría bien en casarse con ese tipo de hombre. Si lo hace, lo más posible es que no conozca más matrimonios. En caso contrario, la probabilidad se inclina en favor de varios.

Comentario: Valery tiene la oportunidad de cambiar su vida y de ser feliz. Presenta tres cartas del revés en su tirada, pero en general la lectura se revela positiva. Su destino parece muy brillante y muestra un potencial considerable. Valery debería contemplar el futuro con confianza.

HACER FRENTE A MIS TEMORES

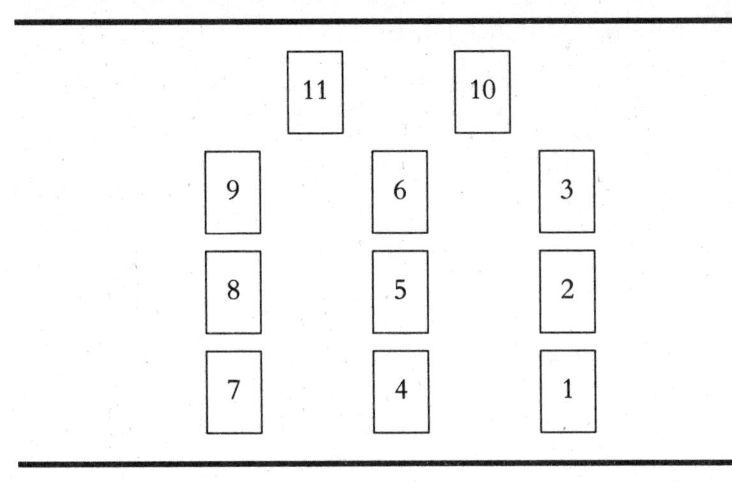

1. ¿De qué tengo miedo?
2. ¿Corre peligro mi seguridad?
3. ¿Hay alguien a quien pueda comunicar mis temores para conseguir su ayuda?
4. ¿Se hallan concentrados mis temores en el lugar en donde trabajo?
5. ¿Conciernen mis temores al sexo o a una lesión personal?
6. ¿Crean tales miedos problemas para mi salud?
7. ¿Implican mis temores a otras personas?
8. ¿Proceden mis miedos de una falta de confianza en mí mismo o de la sensación de no estar a la altura de las circunstancias?
9. ¿Por qué me siento como si fuera una víctima?
10. ¿Qué tipo de cambios soy capaz de llevar a cabo para superar mis temores?
11. ¿Resultado final?

Hacer frente a mis temores para Olivia

CARTAS EN LA TIRADA

1.ª posición	Diez de Oros (invertido)
2.ª posición	Sota de Oros (invertida)
3.ª posición	La Emperatriz (invertida)
4.ª posición	El Loco
5.ª posición	Cuatro de Copas
6.ª posición	Nueve de Copas (invertido)
7.ª posición	As de Bastos
8.ª posición	Caballo de Bastos (invertido)
9.ª posición	Siete de Bastos
10.ª posición	Nueve de Espadas (invertido)
11.ª posición	Diez de Copas (invertido)

LECTURA

Pregunta 1: ¿De qué tengo miedo?

Respuesta: Diez de Oros (invertido). Olivia se resiente de la falta de dinero y considera que no puede mejorar su situación económica. Desde su primera niñez jamás se ha preocupado de prosperar.

Pregunta 2: ¿Corre peligro mi seguridad?

Respuesta: Sota de Oros (invertida). No prosiguió su escolarización y carece de una carrera profesional. Estima que su poder adquisitivo es limitado y que no le resulta posible obtener un empleo bien remunerado. Las necesidades de seguridad de Olivia se hallan en peligro, pero podría aumentar su potencial si reanudara sus estudios. Así se sentiría más firme en el futuro.

Pregunta 3: ¿Hay alguien a quien pueda comunicar mis temores para conseguir su ayuda?

Respuesta: La Emperatriz (invertida). Juzga que su madre no le será de ninguna ayuda y carece de una relación por el momento, circunstancias que le hacen sentirse sola y vulnerable. Olivia necesita una orientación y quizá pueda hallarla en la escuela si resuelve estudiar.

Pregunta 4: ¿Se hallan concentrados mis temores en el lugar en donde trabajo?

Respuesta: El Loco. Al parecer, le aburre su empleo. Desea nuevas experiencias, una cierta actividad y aventuras en su existencia. Debe mostrarse cautelosa, porque carece de una relación, es desgraciada en su casa y no disfruta de la vida. Tiene que prestar atención a su entorno y mostrar confianza en que se producirá un cambio.

Pregunta 5: ¿Conciernen mis temores al sexo o a una lesión personal?

Respuesta: Cuatro de Copas. Se aferra a experiencias anteriores que no fueron muy positivas. Quizá haya quedado emocionalmente herida y tema implicarse de nuevo en el mismo tipo de situaciones. Debe modificar su actitud mental y fiarse de su instinto.

Pregunta 6: ¿Crean tales miedos problemas para mi salud?

Respuesta: Nueve de Copas (invertido). Este naipe denota agobio emocional e infelicidad en el amor. Olivia sufrió una pérdida a través de su relación y, si continúa rumiando los aspectos más sombríos, es posible que se vea afectada su salud. No deseaba concluir esa relación, aunque juzgaba que tal vínculo no era positivo. Tiene que aprender a controlar sus emociones y a gozar de una perspectiva más sana de la vida.

Pregunta 7: ¿Implican mis temores a otras personas?

Respuesta: As de Bastos. Realizará nuevos contactos profesionales y sociales porque tendrá más comienzos y oportunidades. Si siente miedo de tales contactos, no será capaz de modificar su existencia.

Pregunta 8: ¿Proceden mis miedos de una falta de confianza en mí misma o de la sensación de no estar a la altura de las circunstancias?

Respuesta: Caballo de Bastos (invertido). Odia las demoras y frecuentemente se siente frustrada tanto en su trabajo como con su ausencia de reuniones sociales. En este último terreno no se ha mostrado muy activa, lo que determina que sienta una menor confianza en sí misma.

Pregunta 9: ¿Por qué me siento como si fuera una víctima?

Respuesta: Siete de Bastos. Si se siente superior laboral o socialmente y carece de una relación, quizá piense que otros no la respetan. Puede conseguir el éxito y la victoria si trata en términos de igualdad a sus compañeros de trabajo y a las personas con que se vincula personalmente. Sentirse víctima es degradante y Olivia ha de respetarse siempre a sí misma.

Pregunta 10: ¿Qué tipo de cambios soy capaz de llevar a cabo para superar mis temores?

Respuesta: Nueve de Espadas (invertido). Se encuentra en un estado de crisis y es posible que pronto alcance su desenlace. Ha de cambiar su manera de pensar y utilizar sus conocimientos en todas las situaciones. Debe llegar a confiar en su yo íntimo y buscar la orientación en el seno de sí misma. Si reconoce sus problemas, pronto le sobrevendrán las respuestas y se tornará consciente de cuál es el primer paso hacia una solución.

Pregunta 11: ¿Resultado final?

Respuesta: Diez de Copas (invertido). La familia de Olivia es causa de su desgaste emocional y ella no advierte la posibilidad de cambios inmediatos en su situación familiar o en sus relaciones. Ha de intentar ver el aspecto positivo de las cosas y comportarse de la mejor manera que esté a su alcance. Solo puede cambiarse a sí misma pero desea cambiar a otros, lo cual es imposible.

Comentario: Olivia pasa por un periodo difícil de su vida, pero fortalecerá su resolución y mejorará su existencia. Si decide reanudar sus estudios, podría conseguir una nueva perspectiva. Su vida será como ella decida y debe sacarle el mejor partido.

ANTIGUOS HÁBITOS

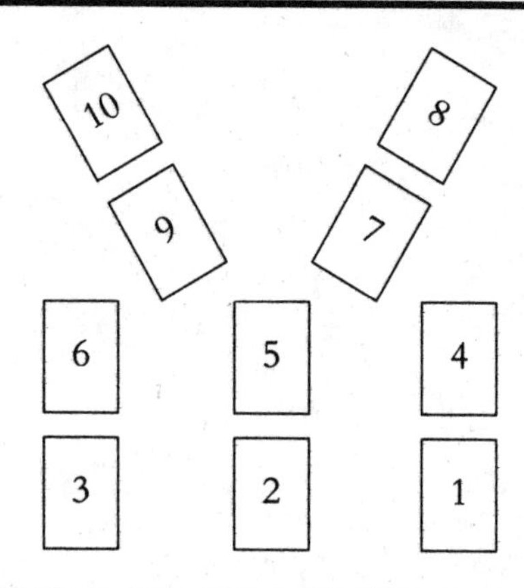

1. ¿Cuáles son mis previos hábitos negativos?
2. ¿Cómo afectan a mi existencia?
3. ¿Qué métodos puedo emplear para tornarme consciente de este proceder?
4. ¿Hay otras personas implicadas en mis comportamientos anteriores?
5. ¿Seré capaz de superar tal proceder?
6. ¿Qué decisiones debo adoptar ahora?
7. ¿Debería solicitar una ayuda profesional?
8. ¿Confío en mí para enfrentarme con esos antiguos comportamientos?
9. ¿Qué cambios puedo esperar cuando me desembarace de los viejos hábitos?
10. ¿Resultado final?

Antiguos hábitos para Ellie

CARTAS EN LA TIRADA

1.ª posición	Rey de Bastos
2.ª posición	La Torre
3.ª posición	Seis de Oros (invertido)
4.ª posición	Nueve de Oros
5.ª posición	Cuatro de Bastos (invertido)
6.ª posición	La Luna
7.ª posición	Cuatro de Oros
8.ª posición	El Sumo Sacerdote (invertido)
9.ª posición	Reina de Copas
10.ª posición	La Rueda de la Fortuna (invertida)

LECTURA

Pregunta 1: ¿Cuáles son mis previos hábitos negativos?

Respuesta: Rey de Bastos. Ellie cuenta con un buen amigo ducho en transacciones económicas y teme un tanto confiar en su propio criterio. A este rey le gusta empezar las cosas, pero no siempre persevera hasta concluirlas, al contrario de lo que sucede a Ellie. Debería sentirse realizada cuando cierre cualquier trato comercial de un modo positivo.

Pregunta 2: ¿Cómo afectan a mi existencia?

Respuesta: La Torre. Este naipe indica que Ellie debe prescindir de sus antiguas costumbres y aprender a depender de sí misma. Es posible que ese amigo decida dejarla y Ellie ha de estar preparada para fiarse de su propio criterio. Quizá tenga atisbos súbitos sobre acontecimientos futuros; si toma conciencia de tal posibilidad, tal vez no se sienta abandonada.

Pregunta 3: ¿Qué métodos puedo emplear para tornarme consciente de este proceder?

Respuesta: Seis de Oros (invertido). Esta carta indica que Ellie no adopta decisiones respecto de sus asuntos económicos. Eso no es acertado y debe modificar inmediatamente su actitud acerca del dinero. Ha de asumir el control de su vida y no apoyarse en los demás. Es posible que la meditación y la búsqueda de la verdad le faciliten en este momento la realización de tales cambios.

Pregunta 4: ¿Hay otras personas implicadas en mis comportamientos anteriores?

Respuesta: Nueve de Oros. Ellie está consagrada a actividades empresariales y es natural suponer que se relaciona con otras personas. Disfruta siendo una mujer independiente por sus medios y atrae a la gente porque se trata de una triunfadora. Aunque posee dinero, carece de ideas que incrementarían su negocio, así que constantemente solicita la ayuda de quienes poseen destrezas creativas.

Pregunta 5: ¿Seré capaz de superar tal proceder?

Respuesta: Cuatro de Bastos (invertido). Por el momento, Ellie se siente insegura. Teme que su negocio decaiga, que experimente unas pérdidas económicas y que no cuente con nadie a quien recurrir. Estos son pensamientos negativos, capaces de suscitar exactamente las experiencias que le asustan. Puede superar tales hábitos a través de reflexiones positivas y con fe en sí misma, dirigiendo su cariño hacia todos.

Pregunta 6: ¿Qué decisiones debo adoptar ahora?

Respuesta: La Luna. Ha de enfrentarse a la realidad en todas sus experiencias y aprender a controlar sus ideas negativas, sus miedos y sus dudas. Sería conveniente que contara con su intuición para desarrollar su negocio. Este naipe refleja un logro.

Pregunta 7: ¿Debería solicitar una ayuda profesional?

Respuesta: Cuatro de Oros. Ellie requiere una actitud equilibrada en lo que atañe a las finanzas. Si considera que requiere ayuda, debería gastar su dinero en sí misma. Tiene que abordar la realidad. ¡Y si recurre a un respaldo profesional, aprovecharlo!

Pregunta 8: ¿Confío en mí para enfrentarme con esos antiguos comportamientos?

Respuesta: El Sumo Sacerdote (invertido). Quizá Ellie juzgue ahora que no tiene confianza en sí misma, pero esta opinión puede cambiar. Requiere nueva información que contribuya a su prosperidad y llegar a ser una mujer segura de sus posibilidades. Ha descubierto unos recursos internos y tal vez sea este el momento de tornarse consciente de su potencial.

Pregunta 9: ¿Qué cambios puedo esperar cuando me desembarace de los viejos hábitos?

Respuesta: Reina de Copas. Esta reina es poderosa, intuitiva y vehemente. Desea ejercer el control en su entorno. Puede esperar tener fuerza y vigor en sí misma y ser capaz de emplear sus facultades intuitivas. Está en condiciones de controlar su existencia y de tomar sus propias decisiones. Luego podrá establecer contacto con sus capacidades creativas.

Pregunta 10: ¿Resultado final?

Respuesta: La Rueda de la Fortuna (invertida). En este periodo no deberá correr riesgos. No le convendría emprender una nueva actividad o establecer una relación seria por el momento. Necesita cuidar su salud y de su dieta.

Comentario: Sería oportuno que recurriera a una asistencia profesional para tornarse autosuficiente y capaz de controlar su vida. Necesita amistades que le permitan disfrutar de su existencia lejos del trabajo.

TIRADA DE LA INFORMACIÓN sobre EL PASADO-EL PRESENTE-EL FUTURO

Futuro	4	3	2	1
Presente	4	3	2	1
Pasado	4	3	2	1

El Pasado: Estas cartas pueden referirse a ayer o a varios años atrás, pero la información sigue ejerciendo una influencia en la vida del interrogador.

El Presente: Estas cartas atañen a los pensamientos y creencias actuales del interrogador.

El Futuro: Estas cartas representan a la mente subconsciente del interrogador. Los acontecimientos tal vez sobrevengan inmediatamente o en los meses inmediatos.

PARA COMENZAR ESTA TIRADA

Baraja las cartas y entrégalas al interrogador. Este deberá barajarlas también y luego devolvértelas. El mazo puede ser cortado una, dos o tres veces, según se prefiera.

Coloca la primera carta levantada sobre el primer lugar, empezando con la fila del «Pasado», y sigue hasta disponer los doce naipes. Antes de comenzar la lectura, examina la tirada. Observa cuáles de los cuatro elementos se encuentran allí, fíjate en los números repetidos (cuántos doses, treses, etc.). Repara también en las cartas de Arcanos Mayores y de la Corte que hayan salido. Esas indican a personas relacionadas con el interrogador. Si abundan esos naipes, constituirán quizá un indicio de que son numerosos los individuos implicados en los asuntos del interrogador. Toda esta información será útil para ti, el lector.

PARA LEER ESTA TIRADA

Cuando aludas a lo ya sucedido, acuérdate de emplear verbos en pretérito y expresiones como «en el pasado». Para los naipes relativos al presente, tus frases han de comenzar con un «ahora». La información sobre hechos venideros deberá empezar con «en el futuro puede que suceda esto o aquello».

Esta tirada te mostrará la manera de pensar de la persona en cuestión y a través de las cartas contarás con la oportunidad de proporcionarle una nueva información que quizá modifique sus reflexiones o creencias. Esta responsabilidad incumbe al lector en razón de la naturaleza de la información. El lector debe poseer integridad y confianza en sí mismo. ¡En especial, aborda todo, con ligereza y disfruta de tu capacidad como lector!

Capítulo 8

Búsqueda espiritual

LAS CUATRO tiradas incluidas en este capítulo disponen de las correspondientes muestras de lectura. Cada tirada se refiere a algún aspecto de la tarea realizada por el individuo en cuestión para comprender su existencia y la necesidad de nacer.

Las tiradas son las de:

Aspiración espiritual
Reencarnación
Establecimiento de un contacto con guías espirituales
El Alma Gemela

Relájate y concédete tiempo sobrado para operar con las quince preguntas incluidas en la tirada de la Reencarnación. La del Alma Gemela cuenta con once, mientras que la de la Aspiración espiritual solo tiene siete. La tirada del Establecimiento de un contacto con guías espirituales posee nueve. ¡La tarea es amena y recibirás por añadidura alguna información valiosa!

Las diferentes tiradas presentan una disposición interesante; asegúrate de charlar con el interrogador durante las lecturas. Ensáyalas por tu cuenta y fíjate a qué interpretaciones llegas.

ASPIRACIÓN ESPIRITUAL

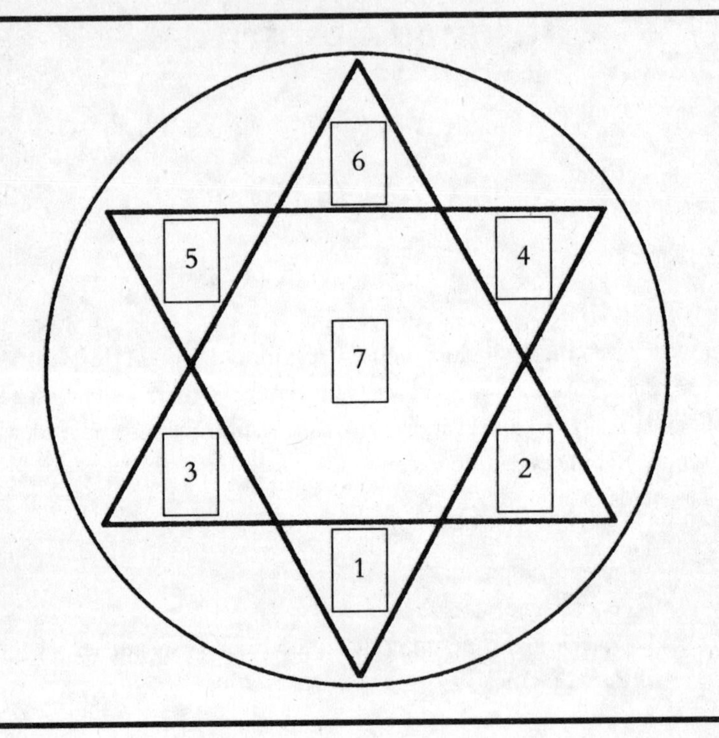

1. ¿Cómo opero con mis intereses físicos y materiales?
2. ¿Cómo equilibro mis deseos?
3. ¿Encontraré pronto un maestro?
4. ¿Cuáles son los obstáculos a mi iluminación?
5. ¿Qué cambios debo realizar ahora?
6. ¿Dispongo de opciones entre las que elegir?
7. ¿Tengo suficiente fe en mí? ¿Creo en una Fuente Superior?

Aspiración espiritual para Jenny

CARTAS EN LA TIRADA

1.ª posición	El Emperador
2.ª posición	Diez de Bastos
3.ª posición	La Suma Sacerdotisa
4.ª posición	Ocho de Espadas (invertido)
5.ª posición	Siete de Oros
6.ª posición	El Ermitaño (invertido)
7.ª posición	Seis de Bastos

LECTURA

Pregunta 1: ¿Cómo opero con mis intereses físicos y materiales?

Respuesta: El Emperador. Jenny comprende que es ella quien gobierna, dirige y emprende sus acciones. Se trata de una mujer independiente y de ideas excelentes. Jenny actúa con su fuente interior para que le ayude a dominar sus deseos físicos y materiales.

Pregunta 2: ¿Cómo equilibro mis deseos?

Respuesta: Diez de Bastos. Equilibra sus deseos, negándose a aceptar las cargas de otros. En su lugar de trabajo son constantes los cambios y cada día aparecen nuevas personas con las que experimentaría muchas tensiones si no consiguiera mantener su equilibrio.

Pregunta 3: ¿Encontraré pronto un maestro?

Respuesta: La Suma Sacerdotisa. Esta carta deduce que es mucho lo que sabe Jenny. Debe escuchar a su fuente interior para que la oriente y aplicar luego ese conocimiento. Ha de encontrar al maestro dentro de sí misma.

Pregunta 4: ¿Cuáles son los obstáculos a mi iluminación?

Respuesta: Ocho de Espadas (invertido). Considera que carece de fuerza bastante para dominar sus problemas y cree que se halla sometida. Pero es solo una opinión que podrá cambiar en cualquier momento a través de la meditación. La auténtica dificultad sería tal vez su miedo a la iluminación y a las responsabilidades consiguientes.

Pregunta 5: ¿Qué cambios debo realizar ahora?

Respuesta: Siete de Oros. La vía mental que ahora debe seguir estriba en determinar el modo de recoger el dinero que logra. No debe permitir que su ego estorbe al deseo de mostrarse servicial. Puede establecer contacto con su fuente interior y ser guiada hacia su anhelo.

Pregunta 6: ¿Dispongo de opciones entre las que elegir?

Respuesta: El Ermitaño (invertido). Le falta la sabiduría que debe llegarle a través de sus experiencias. Es posible que antes haya de abordar cierto miedo o inseguridad. Tiene opciones a su disposición, pero ha de decidirse con confianza y una mentalidad abierta. Quizá no se halle ahora en contacto con su maestro interior.

Pregunta 7: ¿Tengo suficiente fe en mí? ¿Creo en una Fuente Superior?

Respuesta: Seis de Bastos. ¡Esta es una carta de la victoria! Jenny puede alcanzarla tomando las decisiones adecuadas en su trabajo y en su vida social. Debe equilibrar sus deseos y las necesidades de su ego con fe en sí misma y en sus recursos internos.

Comentario: Le gustaría establecer un centro espiritual para la enseñanza de valores espirituales. ¡Podría suceder!

Aspiración espiritual para Lilly

CARTAS EN LA TIRADA

1.ª posición	Dos de Oros (invertido)
2.ª posición	Caballo de Espadas
3.ª posición	La Rueda de la Fortuna
4.ª posición	As de Bastos
5.ª posición	Nueve de Espadas (invertido)
6.ª posición	Dos de Espadas (invertido)
7.ª posición	Cuatro de Bastos

LECTURA

Pregunta 1: ¿Cómo opero con mis intereses físicos y materiales?

Respuesta: Dos de Oros (invertido). Lilly estima que desconoce la manera de administrar fondos. No le gusta establecer presupuestos y posee una concentración materialista. Gusta de gastar su dinero tanto en otros como en sí misma y no es por consiguiente avariciosa.

Pregunta 2: ¿Cómo equilibro mis deseos?

Respuesta: Caballo de Espadas. Cabe superar los deseos a través de la comprensión. Lilly es una Leo y una persona muy fuerte. Le agrada ayudar a otros que no poseen su fortaleza y capacidad. Atrae a los seres humanos que padecen problemas y ella misma se enreda en tales dificultades. Pero posee sus propias dificultades, a las que debe atender con prioridad. Si lograra un equilibrio, podría convertirse en un buen ejemplo que otros otros imitasen.

Pregunta 3: ¿Encontraré pronto un maestro?

Respuesta: La Rueda de la Fortuna. Este es el momento de que lleve a cabo unos cambios, de que realice un viaje o de que se arriesgue. Debe desprenderse de antiguos lazos —profesionales o personales— que constituyen una traba y buscar la felicidad durante este periodo óptimo. Lilly ha de comprender que la vida es experiencia y que todo lo que hace o hizo contribuye a lo que ahora es. La existencia ha sido su mentora, y gracias a los cambios que emprenda tal vez encuentre a un maestro al que pueda aceptar.

Pregunta 4: ¿Cuáles son los obstáculos a mi iluminación?

Respuesta: As de Bastos. Lilly desea nuevos comienzos en su trabajo y en su vida social. Aspira a la brillantez, al placer y a las relaciones. La iluminación sobreviene a través de la meditación, la realización de buenas obras y la búsqueda interior de la propia fuente. Su iluminación empezará cuando termine su concentración en el mundo «exterior».

Pregunta 5: ¿Qué cambios debo realizar ahora?

Respuesta: Nueve de Espadas (invertido). Entre los cambios que debe acometer figuran la superación de problemas, llegar a confiar en su intuición y evaluar sus experiencias para ganar en sabiduría. Ha de tener fe en sí misma, meditar y dejar de crearse grandes expectativas que conducen a decepciones. Leo es el signo del ego, que en las tareas espirituales exige un control.

Pregunta 6: ¿Dispongo de opciones entre las que elegir?

Respuesta: Dos de Espadas (invertido). Como no quiere conocer ni ver sus problemas y dificultades, seguirá padeciéndolos. Teme contemplarse a la verdadera luz, aunque de esa manera podría ganar su libertad. Sus ideas ilusorias acerca de la existencia y del mundo en que vive le impulsan a una concentración materialista y ha de elegir entre esta y los deseos espirituales.

Pregunta 7: ¿Tengo suficiente fe en mí? ¿Creo en una Fuente Superior?

Respuesta: Cuatro de Bastos. Lilly advierte que su trabajo y sus actividades sociales son fructíferos. Tal vez en este momento prefiera el matrimonio a ir en pos de aspiraciones espirituales. Por lo que se refiere a su comportamiento en las relaciones, no tiene tanta fe en sí misma como en lo que atañe a su capacidad en el trabajo. Existe la posibilidad de que crea en una Fuente Superior. ¡Pero lo que ahora pretende es comprar un piso!

Comentario: Lilly es azafata y disfruta de su trabajo. Le gusta la emoción de los viajes a países extranjeros y conocer a otras personas. Está divorciada, pero quizá desee volver a casarse. Por el momento no se siente motivada a dirigir toda su atención hacia las tareas espirituales.

TIRADA DE LA REENCARNACIÓN

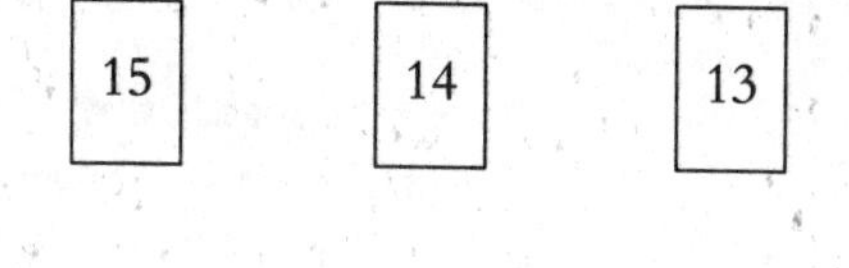

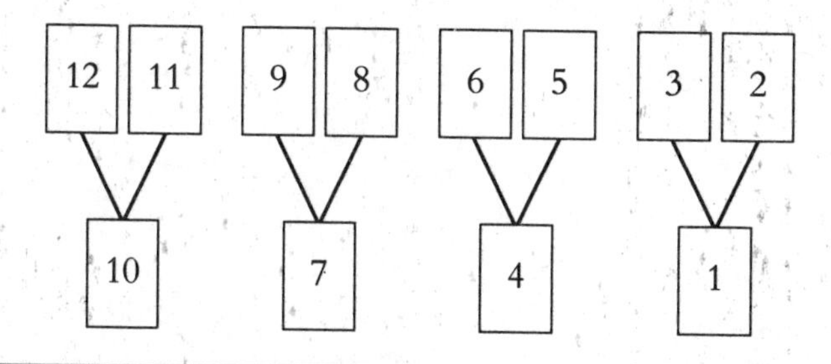

1. ¿Quién fui en mi última existencia?
2. ¿Estaba casado?
3. ¿Fui feliz en esa vida anterior?
4. ¿Qué tipo de trabajo realizaba entonces?
5. ¿Era una persona honorable?
6. ¿Qué clase de problemas y de retos hube de abordar?
7. ¿Era alguien famoso?
8. ¿Fue buena mi salud durante mi existencia anterior?
9. ¿Cómo sobrevino mi muerte?
10. ¿Tuve un alma gemela?
11. ¿Es mi pareja actual alguien a quien conocí en mi vida anterior?
12. ¿Estoy vinculado a mis padres presentes a través de mi existencia pasada?
13. ¿Hay otros miembros de mi familia que pertenecen a mi vida anterior?
14. ¿Qué necesito aprender durante esta existencia?
15. ¿Reencarnaré después de esta vida?

Tirada de la reencarnación para Daniel

CARTAS EN LA TIRADA

1.ª posición	Siete de Espadas (invertido)
2.ª posición	Cinco de Bastos (invertido)
3.ª posición	El Ermitaño (invertido)
4.ª posición	Dos de Copas
5.ª posición	El Loco
6.ª posición	Fuerza
7.ª posición	La Emperatriz
8.ª posición	Cuatro de Oros (invertido)
9.ª posición	Sota de Espadas
10.ª posición	Dos de Oros
11.ª posición	Ocho de Bastos (invertido)
12.ª posición	Seis de Bastos
13.ª posición	Nueve de Oros (invertido)
14.ª posición	Nueve de Copas
15.ª posición	Nueve de Bastos (invertido)

LECTURA

Pregunta 1: ¿Quién fui en mi última existencia?

Respuesta: Siete de Espadas (invertido). David no conoció la felicidad en su vida pasada. Era celoso, se hallaba concentrado en lo material y sus relaciones no fueron positivas. De acuerdo con los naipes de su tirada, ha sufrido problemas en el trabajo y respecto de situaciones económicas. Es posible que Daniel hubiese sido una mujer (tal como indica la presencia de La Emperatriz en el séptimo puesto de esta tirada).

Pregunta 2: ¿Estaba casado?

Respuesta: Cinco de Bastos (invertido). Este naipe muestra que Daniel pudo haber estado casado, que su relación no fue buena y que quizá no combatiera por sus derechos. Habría requerido más fe y confianza en sí mismo.

Pregunta 3: ¿Fui feliz en esa vida anterior?

Respuesta: El Ermitaño (invertido). Daniel careció de sabiduría o de atisbos y era egoísta e intolerante. Se obsesionó por las posesiones físicas y materiales. De haber conocido la felicidad, no se habría mostrado tan codicioso en su necesidad de estas cosas.

Pregunta 4: ¿Qué tipo de trabajo realizaba entonces?

Respuesta: Dos de Copas. La carta denota tal vez que buscó el matrimonio como medio de realizarse en la vida. De haber sido mujer, este habría sido el modo natural de proceder. Durante aquel periodo su tarea habría estribado en ser esposa, madre y atender a los demás.

Pregunta 5: ¿Era una persona honorable?

Respuesta: El Loco. Este naipe indica que Daniel (en aquella vida) estuvo interesado en nuevas experiencias, actividades y aventuras y que no empleó con prudencia su talento. Puede que fuese honorable, pero otros lo juzgarían tal vez con mayor severidad.

Pregunta 6: ¿Qué clase de problemas y de retos hube de abordar?

Respuesta: Fuerza. Tuvo problemas con el mando, con el control de sus pasiones y en su resistencia a las tentaciones. Todas esas cosas constituyeron retos a su puesto en tal existencia. Daniel se reveló además artístico y creativo en tal vida.

Pregunta 7: ¿Era alguien famoso?

Respuesta: La Emperatriz. Este naipe señala que Daniel fue una persona famosa, quizá mujer y figura poderosa en su entorno. Pero amén de ser célebre, Daniel se reveló asimismo creativo, comunicativo, cariñoso y cuidó de los demás.

Pregunta 8: ¿Fue buena mi salud durante mi existencia anterior?

Respuesta: Cuatro de Oros (invertido). Existió posiblemente una falta de equilibrio en la existencia de Daniel y quizá se centró en exceso en los placeres. Su salud habría quedado seriamente afectada por el juego, sus gastos o los problemas económicos.

Pregunta 9: ¿Cómo sobrevino mi muerte?

Respuesta: Sota de Espadas. Este naipe indica que Daniel pudo morir joven por obra de la espada o de la guillotina. Experimentó muchos deseos, se mostró ingenuo, carente de convencionalismos y extravertido. No prestó atención a su existencia y a sus circunstancias y quizá lo pagó con la muerte.

Pregunta 10: ¿Tuve un alma gemela?

Respuesta: Dos de Oros. Al parecer contó con un alma gemela que se esforzó por lograr un equilibrio en las cuestiones económicas y en su salud. Si ambicionó posesiones materiales y vivir su existencia en toda su plenitud o anheló constantemente nuevas aventuras, a tal alma gemela le correspondió la tarea de hacer frente a esos avatares. Es posible que el Dos de Copas y el Dos de Oros en la tirada aludan a una pareja o a una relación íntima.

Pregunta 11: ¿Es mi pareja actual alguien a quien conocí en mi vida anterior?

Respuesta: Ocho de Bastos (invertido). Daniel afirma que por el momento no tiene ninguna relación amorosa. Ha conocido en esta existencia varias, pero ninguna ha perdurado. Tal vez advirtió alguna conexión con amores pretéritos y teme repetir sus experiencias de una vida anterior.

Pregunta 12: ¿Estoy vinculado a mis padres presentes a través de mi existencia pasada?

Respuesta: Seis de Bastos. Esta carta alude a elegir entre opciones, ser responsable y asumir el control de la propia existencia. Declara que Daniel tomó una elección acerca de sus padres en esta aventura vital. Puede que salga victorioso en el trabajo y en la vida social que ha preferido.

Pregunta 13: ¿Hay otros miembros de mi familia que pertenecen a mi vida anterior?

Respuesta: Nueve de Oros (invertido). Este naipe infiere que algunos de sus parientes estuvieron vinculados en cuestiones económicas. Daniel aprende ahora a cuidar de sus propias cargas financieras. No debe depender enteramente del apoyo de la familia, de las relaciones o de otras personas.

Pregunta 14: ¿Qué necesito aprender durante esta existencia?

Respuesta: Nueve de Copas. Debe emplear sabiduría en sus experiencias. Conseguirá hacer realidad sus anhelos en lo que atañe a sus necesidades amorosas y emocionales. Esta es la carta de los «deseos» y, cuando aparece del derecho, significa el logro de lo que se pretende. Daniel ha de aprender a amar con prudencia, a confiar en sí mismo y a tener un buen concepto de su propia persona.

Pregunta 15: ¿Reencarnaré después de esta vida?

Respuesta: Nueve de Bastos (invertido). Daniel juzga que preferiría que no fuese así. No le agrada la competición en el mundo de los negocios o en sociedad porque es pasivo y se inclina por atender a sus asuntos de un modo más espiritual. Con cuatro naipes con el número 9 en esta tirada (incluyendo El Ermitaño), tal vez sea esta su última incursión en la vida.

Comentario: Se trata de conjeturas respaldadas por pruebas muy limitadas, pero en nuestras células hay información concerniente al pasado, al presente y al futuro. Son muchas las cartas invertidas en la tirada de Daniel. Parece que no tiene un buen recuerdo en lo que se refiere a su existencia anterior. El trabajo y el dinero significaron entonces problemas para él, tal como ahora le sucede. ¿Cuál es la lección, Daniel?

Tirada de la reencarnación para Renee

CARTAS EN LA TIRADA

1.ª posición	Seis de Copas (invertido)
2.ª posición	Cuatro de Copas (invertido)
3.ª posición	La Torre
4.ª posición	Cinco de Copas (invertido)
5.ª posición	La Emperatriz
6.ª posición	La Muerte
7.ª posición	Caballo de Copas
8.ª posición	Fuerza
9.ª posición	Rey de Bastos
10.ª posición	Diez de Espadas
11.ª posición	Reina de Bastos
12.ª posición	Tres de Bastos
13.ª posición	Seis de Bastos
14.ª posición	La Rueda de la Fortuna (invertida)
15.ª posición	Nueve de Espadas

LECTURA

Pregunta 1: ¿Quién fui en mi última existencia?

Respuesta: Seis de Copas (invertido). Renee fue alguien que no tomaba por sí misma las decisiones que le incumbían. Se hallaba emocionalmente agotada, y en esa vida anterior presentó un potencial de achaques que acaso la afectaron seriamente. Tal vez nunca se casó. Irresponsable quizá, puede que se negara a elegir entre diversas opciones y que permaneciese apegada a su familia.

Pregunta 2: ¿Estaba casada?

Respuesta: Cuatro de Copas (invertido). Es posible que tuviera miedo de establecer una relación emocional. Temía ser agraviada por alguien a quien quisiera y, en consecuencia, acaso no contrajo matrimonio. Quizá surgió un trastorno, la ausencia de la figura del padre o alguna manifestación de deshonestidad.

Pregunta 3: ¿Fui feliz en esa vida anterior?

Respuesta: La Torre. Esta carta indica que Renee recibió alguna iluminación durante su vida anterior. Conoció ciertas experiencias positivas y aprendió mucho. Consiguió desembarazarse de varias ideas falsas y de antiguos hábitos. Experimentó disgustos serios, pero también vivió algunas buenas épocas.

Pregunta 4: ¿Qué tipo de trabajo realizaba entonces?

Respuesta: Cinco de Copas (invertido). Este naipe denota que Renee no creía en el amor. Tal vez se registraron diversas pérdidas en la familia, o en las relaciones, o hubo amigos que la ofendieron. Considera que acaso ocupó un puesto dirigente en una institución religiosa. Sufrió durante ese tiempo grandes desengaños y la Iglesia le brindó una cierta protección.

Pregunta 5: ¿Era una persona honorable?

Respuesta: La Emperatriz. Sí. Renee fue una mujer creativa. Sabía cómo comunicarse con los demás, gustaba de pasarlo bien y disfrutaba con los viajes. Se preocupaba por otros, era atenta con ellos y compartía cuanto tenía.

Pregunta 6: ¿Qué clase de problemas y de retos hube de abordar?

Respuesta: La Muerte. Surgieron para Renee lecciones referentes a la muerte y el acto del fallecimiento. Quizá afectó al karma de otros cuando trató de salvarlos. La transformación constituyó un reto para Renee, por cuya existencia entraban y salían constantemente personas.

Pregunta 7: ¿Era alguien famoso?

Respuesta: Caballo de copas. Se trataba de una mujer bien conocida que siempre estaba recibiendo mensajes de todo tipo. Deseaba servir y ayudar a los demás. Puede que viajara para conocer lugares remotos. De modo permanente recibía invitaciones para asistir a actos solemnes de la familia, los amigos y muchos personajes.

Pregunta 8: ¿Fue buena mi salud durante mi existencia anterior?

Respuesta: Fuerza. Sí. Renee fue capaz de controlar sus deseos y de mantener un equilibrio en aquella existencia. Poseyó valor, fortaleza y usó prudentemente sus energías.

Pregunta 9: ¿Cómo sobrevino mi muerte?

Respuesta: Rey de Bastos. Renee considera que murió solitaria. Esta es una carta de Aries y cabe la posibilidad de que se produjera algún tipo de afección mental o una apoplejía. Como Aries gobierna la cabeza, es factible, tal como ella piensa, que recibiera en esa parte del cuerpo una bala disparada por un hombre. Sea como fuere, se trató de una muerte súbita.

Pregunta 10: ¿Tuve un alma gemela?

Respuesta: Diez de Espadas. Durante aquella existencia, Renee conoció grandes cambios en sus problemas y trató de elevar su nivel de conciencia. Tal vez se afanó tanto en aliviar sus cargas y superar las experiencias negativas que no advirtió en aquella vida la aparición a su lado de un alma gemela.

Pregunta 11: ¿Es mi pareja actual alguien a quien conocí en mi vida anterior?

Respuesta: Reina de Bastos. Renee indicó que en el momento presente carecía de una relación amorosa. Esta es una carta de Leo. ¿Intenta quizá encontrar a una pareja que sea de ese signo?

Pregunta 12: ¿Estoy vinculado a mis padres presentes a través de mi existencia pasada?

Respuesta: Tres de Bastos. Renee se siente muy unida a su madre. Juzga que mantuvo con su padre una buena relación, aunque no tan íntima.

Pregunta 13: ¿Hay otros miembros de mi familia que pertenecen a mi vida anterior?

Respuesta: Seis de Bastos. Renee tiene nueve hermanos y le parece que algunos estuvieron implicados en su existencia anterior. Piensa que algunos se mostraron muy activos y eficaces en aquel tiempo.

Pregunta 14: ¿Qué necesito aprender durante esta existencia?

Respuesta: La Rueda de la Fortuna (invertida). Este naipe del revés denota que Renee no tiene grandes lecciones que aprender durante su vida presente. No es el momento de acometer nuevos empeños o de correr un albur y tiene que mostrarse sincera en todas sus experiencias. Las lecciones que ahora le incumben son las de lograr una estabilidad mayor y asumir menos riesgos en su existencia actual.

Pregunta 15: ¿Reencarnaré después de esta vida?

Respuesta: Nueve de Espadas. Este naipe denota sabiduría ganada a través de la experiencia con problemas y dificultades. La simple idea de otra existencia puso a Renee al borde de la crisis, porque consideró que ya era bastante lo que había vivido. Y añadió: «¿Otra vez? ¡Nunca!».

Comentario: Es posible que la carta de La Emperatriz indique que en su existencia anterior Renee ocupó una posición elevada. Parece que sufrió algunas experiencias desgraciadas, pero su vida estuvo consagrada a servir a los demás e hizo al efecto cuanto pudo.

ESTABLECIMIENTO DE UN CONTACTO CON GUÍAS ESPIRITUALES

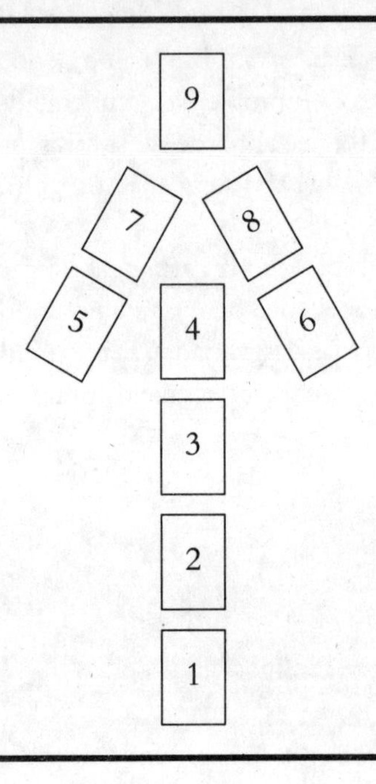

1. ¿Hay guías espirituales para todos?
2. ¿Cómo puedo establecer contacto con mis guías espirituales?
3. ¿Lograré pronto relacionarme con ellos?
4. ¿Nos comunicaremos solo mentalmente?
5. ¿Han estado siempre conmigo mis guías espirituales?
6. ¿Me proporcionarán mis guías información acerca de mi trabajo, las cuestiones del hogar y de las relaciones?
7. ¿Pueden mis guías enseñarme acerca de otras realidades?
8. ¿Aparecen bajo una forma física los guías espirituales?
9. ¿Resultado final?

Establecimiento de un contacto con guías espirituales para Shirley

CARTAS EN LA TIRADA

1.ª posición	Seis de Bastos
2.ª posición	Siete de Oros (invertido)
3.ª posición	El Ermitaño (invertido)
4.ª posición	Dos de Espadas
5.ª posición	Rey de Bastos (invertido)
6.ª posición	El Loco (invertido)
7.ª posición	Diez de Bastos (invertido)
8.ª posición	El Mundo
9.ª posición	Caballo de Espadas (invertido)

LECTURA

Pregunta 1: ¿Hay guías espirituales para todos?

Respuesta: Seis de Bastos. La respuesta es sí para todos los que crean en ellos. Adoptar decisiones y ganar es lo que esta carta dice. Shirley emplea su voluntad y su energía de modos mental, física y emocionalmente positivos. Tal vez se relacione pronto con sus guías.

Pregunta 2: ¿Cómo puedo establecer contacto con mis guías espirituales?

Respuesta: Siete de Oros (invertido). Es posible que Shirley no tenga suficiente fe en sí misma y que carezca de confianza en su persona. Se muestra positiva en muchos aspectos, pero quizá no se incluya entre estos su creencia en guías espirituales. A través de la meditación y de la reflexión, Shirley podrá establecer contacto con ellos; es un buen modo de empezar.

Pregunta 3: ¿Lograré pronto relacionarme con ellos?

Respuesta: El Ermitaño (invertido). Shirley carece de la sabiduría lograda a través de la experiencia; cabe que sea mujer de mentalidad estrecha y con prejuicios. Debe examinar sus temores en el caso de que establezca contacto con sus guías porque tal situación podría ser causa de problemas mentales para ella. Ha de comprender que sus guías están aquí con el fin de otorgar su ayuda y no de acarrear trastornos.

Pregunta 4: ¿Nos comunicaremos solo mentalmente?

Respuesta: Dos de Espadas. Shirley afirma estar enterada de la existencia de sus guías espirituales pero que no desear «verlos». No utiliza su intuición, así que las cosas no resultan claras para ella. Si Shirley no desea ver a sus guías cuando establezca contacto con ellos, este puede ser exclusivamente mental.

Pregunta 5: ¿Han estado siempre conmigo mis guías espirituales?

Respuesta: Rey de Bastos (invertido). Es posible que los guías espirituales no permanezcan en un mismo lugar todo el tiempo. Esta carta es una Aries y tales personas gustan de hallarse en movimiento. Acaso tenga guías a quienes guste jugar y distraerse (los tipos Aries pueden ser como niños). Este mensaje podría servir para iluminar a Shirley.

Pregunta 6: ¿Me proporcionarán mis guías información acerca de mi trabajo, las cuestiones del hogar y de las relaciones?

Respuesta: El Loco (invertido). Ha de asumir la responsabilidad y equilibrar el placer, las necesidades sexuales y los demás deseos en su existencia. Sus guías tratarán de concentrar su atención en cuestiones espirituales y dejarán que ella tome las decisiones en las mundanas.

Pregunta 7: ¿Pueden mis guías enseñarme acerca de otras realidades?

Respuesta: Diez de Bastos (invertido). Debe comprender que sus guías son capaces de enseñarle muchas cosas. Pretende aliviar las cargas que experimenta en su vida profesional y social, pero no parece hallarse interesada en la información espiritual. Shirley estima que esta es una «moda» que pasará pronto, pero se equivoca. El espíritu existe y existirá siempre. Los guías se hallan con nosotros cuando los reconocemos.

Pregunta 8: ¿Aparecen bajo una forma física los guías espirituales?

Respuesta: El Mundo. Este naipe recibe la denominación de «Conciencia Cósmica». Nada hay que no consigan hacer los guías espirituales. Cuando acontecen milagros, intervienen los guías. Por lo común son advertidos a través de la conciencia. ¿Pero quién sabe la verdad? Shirley ha de tener fe y confianza.

Pregunta 9: ¿Resultado final?

Respuesta: Caballo de Espadas (invertido). Quizá en esta época no reciba ningún mensaje concerniente a sus guías espirituales, pero, de ser sincera, ha de seguir esforzándose por obtenerlos.

Comentario: Abundan los nuevos estudiosos de las tareas espirituales y Shirley es uno de ellos. Muchos se apresuran a lograr los conocimientos que otros han recogido durante años. Con el tiempo todos llegarán a dominar el empeño. Shirley lo conseguirá más pronto o más tarde.

Establecimiento de un contacto con guías espirituales para Penny

CARTAS EN LA TIRADA

1.ª posición	Cinco de Espadas
2.ª posición	Templanza
3.ª posición	El Carro
4.ª posición	Siete de Bastos (invertido)
5.ª posición	Seis de Espadas
6.ª posición	Siete de Copas
7.ª posición	Seis de Copas
8.ª posición	El Ahorcado (invertido)
9.ª posición	Cuatro de Copas

LECTURA

Pregunta 1: ¿Hay guías espirituales para todos?

Respuesta: Cinco de Espadas. Esta carta sugiere que Penny no cree en los guías espirituales. Desea superar a otros en razón de las necesidades de su ego, y tal anhelo puede empujarla a adoptar una conducta irreflexiva. Su actitud mental no es positiva y acaso le aporte una victoria huera.

Pregunta 2: ¿Cómo puedo establecer contacto con mis guías espirituales?

Respuesta: Templanza. Debe confiar en su fuente interior para lograr una orientación y tener fe en que será capaz de vincularse con sus propios guías especiales; la meditación constituye un buen modo de proceder al respecto. La paciencia es otra virtud que Penny ha de cultivar en la tarea de equilibrar sus deseos con sabiduría.

Pregunta 3: ¿Lograré pronto relacionarme con ellos?

Respuesta: El Carro. Este naipe indica que ha llegado el momento de emplear los propios poderes mentales para controlar el destino y alcanzar el triunfo. El Auriga representa el Yo Superior de Penny, y esta debe confiar en Él al objeto de que le ayude en todos sus empeños. Ha de tener fe en la existencia de la fuente dentro de ella y en breve establecerá el contacto.

Pregunta 4: ¿Nos comunicaremos solo mentalmente?
Respuesta: Siete de Bastos (invertido). Durante esta época Penny se halla demasiado concentrada en sus exigencias físicas y materiales. Su vía es confusa y hay incertidumbre respecto de su futuro. Debe mostrar más fe y seguridad en el Yo Superior con el fin de establecer cualquier tipo de contacto, mental o espiritual.

Pregunta 5: ¿Han estado siempre conmigo mis guías espirituales?
Respuesta: Seis de Espadas. Le falta conocimiento o entendimiento acerca de sus guías espirituales. Está demasiado obsesionada por sus problemas y dificultades y requiere más fe en sí misma. Siempre la acompaña su Yo Superior (como sucede con todos nosotros). Para comprender, Penny ha de reconocer esta Presencia en su seno. Están allí. Puede optar entre escapar de los problemas y dificultades o detenerse a considerarlos, sabiendo que el Yo Superior la socorre.

Pregunta 6: ¿Me proporcionarán mis guías información acerca de mi trabajo, las cuestiones del hogar y de las relaciones?
Respuesta: Siete de Copas. Este naipe indica que a través de la meditación creativa llegará hasta las respuestas correctas. Sus guías espirituales se encuentran allí para ayudarle en todas sus experiencias.

Pregunta 7: ¿Pueden mis guías enseñarme acerca de otras realidades?
Respuesta: Seis de Copas. Tiene que decidir lo que desea saber. Ha de tener cuidado de no vivir anclada en el pasado o de concentrar sus energías en relaciones previas. Penny posee dentro de sí todo un mundo de conocimientos y sus guías pueden darle esta información si ella cuenta con capacidad para aceptarla.

Pregunta 8: ¿Aparecen bajo una forma física los guías espirituales?
Respuesta: El Ahorcado (invertido). Penny se deja engañar con facilidad por otros y debería tomar conciencia de que vive entre fantasías o ilusiones. Carece de fe o de confianza en un Yo Superior y desea una prueba visual de su realidad. Quizá no suceda tal cosa, pero eso no significa que no exista el Yo Superior.

Pregunta 9: ¿Resultado final?

Respuesta: Cuatro de copas. Penny advierte que, en cuanto atañe a sus relaciones, vive en el pasado. Tiene que superar la depresión y tornarse consciente de que le aguardan nuevas oportunidades. Habrá de desembarazarse de antiguos hábitos, comprendiendo que es ella la responsable de su vida, su amor y su bienestar emocional.

Comentario: De la misma manera que damos por supuestas otras cosas, debemos hallarnos preparados para aceptar nuestra orientación íntima. Penny requiere fe y confianza en este concepto. Como se dice, «cuando el alumno está dispuesto, surge el maestro».

TIRADA DEL ALMA GEMELA

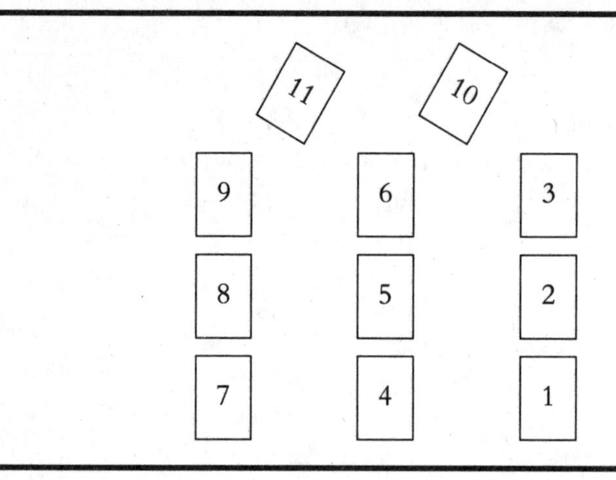

1. ¿Cómo he de establecer contacto con mi alma gemela?
2. ¿Se encuentra ahora mi alma gemela en el mundo físico?
3. ¿Es posible comunicarme en este momento con mi alma gemela?
4. ¿Qué cabe hacer para atraer a mi alma gemela hacia mi vida?
5. ¿Es mi alma gemela un espíritu libre?
6. ¿Mantuvimos una relación en el pasado?
7. ¿Necesito estudiar o aprender algo acerca de almas gemelas?
8. ¿Existirán armonía y bienestar entre nosotros?
9. ¿Cómo conseguiré aprender a amar y aceptar a mi alma gemela?
10. ¿Qué cambios puedo llevar a cabo mientras espero a mi alma gemela?
11. ¿Resultado final?

Tirada del alma gemela para Meredith

CARTAS EN LA TIRADA

1.ª posición	La Justicia
2.ª posición	Tres de Oros
3.ª posición	Reina de Bastos (invertida)
4.ª posición	Cuatro de Oros (invertido)
5.ª posición	Tres de Copas
6.ª posición	El Sol (invertido)
7.ª posición	Tres de Espadas
8.ª posición	Cuatro de Copas (invertido)
9.ª posición	Diez de Bastos (invertido)
10.ª posición	Rey de Oros (invertido)
11.ª posición	Ocho de Bastos

LECTURA

Pregunta 1: ¿Cómo he de establecer contacto con mi alma gemela?

Respuesta: La Justicia. Meredith puede llegar hasta su alma gemela a través de actos de cordialidad, atención y solicitud en beneficio de otras personas. Debe utilizar la discriminación en sus experiencias y tratar a los demás como le gustaría que lo tratasen. La meditación y la visualización creativa son buenos métodos de proceder al respecto. Meredith ha de tener fe en su fuente interior y así logrará establecer contacto con su alma gemela.

Pregunta 2: ¿Se encuentra ahora mi alma gemela en el mundo físico?

Respuesta: Tres de Oros. Esta carta se refiere al espacio físico (oros), indicando la posibilidad de que el alma gemela de Meredith se halle ahora en el mundo. El Tres de Oros alude a un artífice magistral sobresaliente en cuanto ejecuta. Está seguro de su capacidad y de ganar dinero gracias a su trabajo. ¡Meredith necesita consagrarse ahora mismo a la visualización!

Pregunta 3: ¿Es posible comunicarme en este momento con mi alma gemela?

Respuesta: Reina de Bastos (invertida). Este naipe del revés representa a un hombre del signo de Leo. En cualquier momento en que Meredith se halle dispuesta, podrá iniciar el contacto con su alma gemela. ¡Si persevera a través de la meditación y de la visualización creativa, logrará en cuestión de semanas establecer esa vinculación!

Pregunta 4: ¿Qué cabe hacer para atraer a mi alma gemela hacia mi vida?

Respuesta: Cuatro de Oros (invertido). Meredith debe alcanzar un estado de equilibrio. Tal vez sea una despilfarradora, una jugadora que necesita comprender el valor del dinero. Es posible que se halle implicada en experiencias negativas que debe modificar o acaso está abordando cuestiones relacionadas con su salud. Ha de transformar sus creencias y encaminar sus reflexiones hacia canales positivos.

Pregunta 5: ¿Es mi alma gemela un espíritu libre?

Respuesta: Tres de Copas. La respuesta es afirmativa. Tal alma gemela es feliz, disfruta de la vida y desea viajar. Se muestra creativa a través de las artes plásticas, la música y la literatura. Meredith podría aprender mucho de su alma gemela en lo que se refiere a gozar de la existencia.

Pregunta 6: ¿Mantuvimos una relación en el pasado?

Respuesta: El Sol (invertido). El naipe del Sol es Leo, signo que también aparece en la pregunta 3. Si existió semejante encuentro, no fue positivo. Del revés, esta carta denota deshonestidad, falta de valor y escasa autoestima. Tanto si esta información corresponde a Meredith como si atañe a su alma gemela, no revela una gran vinculación. Probablemente no mantuvo en el pasado una relación con esa persona.

Pregunta 7: ¿Necesito estudiar o aprender algo acerca de almas gemelas?

Respuesta: Tres de Espadas. Meredith puede dedicarse a estudiar y aprender cuanto le interese. Si sus amistades tienen almas gemelas y ella las envidia, sería capaz de hacer otro tanto. Debería conocer, empero, que ella es la responsable de sus propios problemas y que, de consagrarse a tareas espirituales, es posible que tropiece con más dificultades de las que supone. Resultaría más indicado saber algo acerca del «conocimiento superior».

Pregunta 8: ¿Existirán armonía y bienestar entre nosotros?

Respuesta: Cuatro de Copas (invertido). Juzga que se sentirá decepcionada en su relación con su alma gemela. Es inexperta en tal género de lazos y no le inspiran mucha fe o confianza. Puede que haya armonía y bienestar si se relaja y convence de que su alma gemela cuidará de ella.

Pregunta 9: ¿Cómo conseguiré aprender a amar y aceptar a mi alma gemela?

Respuesta: Diez de Bastos (invertido). Meredith ha de realizar cambios en su existencia. Se juzga estancada lo mismo en su trabajo que en su vida social y está buscando alternativas. ¿Espera que su alma gemela torne apasionante una existencia anodina? Ha de evaluar sus expectativas y resolver si está sinceramente dispuesta a aceptar a esa persona.

Pregunta 10: ¿Qué cambios puedo llevar a cabo mientras espero a mi alma gemela?

Respuesta: Rey de Oros (invertido). Debe superar algunos rasgos negativos de su personalidad como el egoísmo, la pereza y la carencia de un sentido práctico. Podría aprender a mostrarse sincera, menos terca y más cariñosa. También le favorecería poseer más fe y confianza en sí misma.

Pregunta 11: ¿Resultado final?

Respuesta: Ocho de Bastos. Meredith posee el vigor requerido para adoptar todas las medidas sugeridas por esta lectura. Puede trabajar y lograr la activa vida social que pretende. Cuanto más positivas sean sus reflexiones y creencias, antes llegará su alma gemela.

Comentario: La visualización creativa y la meditación constituyen dos claves del éxito. Unos cuantos minutos diarios, sin faltar un día, aportarán lo que desea tu corazón. Meredith ha de tomar en serio el anhelo de atraer a su existencia el alma gemela. Si así se siente, lo demostrará dedicando parte de su tiempo en cada jornada a la meditación o a la visualización creativa. El pensamiento positivo y tus creencias se manifiestan en tu vida. ¡Obra así y cosecharás ahora mismo tu recompensa!

Tirada del alma gemela para Josey

CARTAS EN LA TIRADA

1.ª posición	Dos de Oros
2.ª posición	As de Copas (invertido)
3.ª posición	Tres de Copas
4.ª posición	Tres de Oros (invertido)
5.ª posición	Reina de Espadas
6.ª posición	Caballo de Bastos
7.ª posición	El Ermitaño
8.ª posición	Dos de Copas (invertido)
9.ª posición	As de Espadas
10.ª posición	Rey de Espadas
11.ª posición	Tres de Bastos

LECTURA

Pregunta 1: ¿Cómo he de establecer contacto con mi alma gemela?

Respuesta: Dos de Oros. Josey tiene que aprender a equilibrar sus necesidades físicas y materiales, por un lado, y sus valores espirituales, por el otro. Ha de mantenerse sana y poseer fe en sí misma. El contacto entre su alma gemela y ella sobrevendrá cuando se halle dispuesta y estabilizada.

Pregunta 2: ¿Se encuentra ahora mi alma gemela en el mundo físico?

Respuesta: As de Copas (invertido). Según esta carta, Josey no se muestra receptiva a la aparición de su alma gemela. Es emocionalmente inestable, se siente agotada y disputa con miembros de su familia. Este no es el momento para nuevos comienzos en el amor o para nuevas relaciones.

Pregunta 3: ¿Es posible comunicarme en este momento con mi alma gemela?

Respuesta: Tres de Copas. La comunicación con el alma gemela de Josey resulta factible y ella se sentirá feliz cuando establezca ese nexo. Puede que se trate de una época maravillosa para Josey, y le sería beneficioso implicarse con su aspecto creativo en lugar de sufrir las experiencias negativas que le acontecen en lo que se refiere a miembros de su familia.

Pregunta 4: ¿Qué cabe hacer para atraer a mi alma gemela hacia mi vida?

Respuesta: Tres de Oros (invertido). Carece de fe en sus capacidades. El dinero no atraerá a su alma gemela a las experiencias de su vida. Ha de ser feliz, disfrutar de la existencia y sentir que vale la pena vivir. Debe creer en la posibilidad de hallar a su alma gemela.

Pregunta 5: ¿Es mi alma gemela un espíritu libre?

Respuesta: Reina de Espadas. La Reina es independiente, está sola y busca una relación. En este lugar, el naipe podría indicar que el alma gemela de Josey es un individuo pasivo, cariñoso y solícito, mientras que ella se muestra más agresiva y emancipada. Tal vez Josey logre aprender a controlar su belicosidad y consagrar más tiempo a explorar su aspecto femenino.

Pregunta 6: ¿Mantuvimos una relación en el pasado?

Respuesta: Caballo de Bastos. Este naipe señala que Josey y su alma gemela se han comunicado, bien en el pasado o en el presente. Eso denotaría que ya mantuvieron una relación.

Pregunta 7: ¿Necesito estudiar o aprender algo acerca de almas gemelas?

Respuesta: El Ermitaño. Ha de aprender a confiar en sí misma y a respetarse y así estará más cerca del encuentro con su alma gemela. Sería prudente que recurriese a un maestro interior para obtener una orientación espiritual. La meditación puede contribuir asimismo a que alcance a su alma gemela.

Pregunta 8: ¿Existirán armonía y bienestar entre nosotros?

Respuesta: Dos de Copas (invertido). Sabe que teme comprometerse y resultar herida en el amor. No confía en los demás y esa circunstancia ha creado problemas emocionales en sus relaciones. Si no es capaz de tener fe en un lazo, este de nada servirá excepto para aprender de la experiencia. ¿Cómo es posible que existan armonía y bienestar si no hay amor o confianza?

Pregunta 9: ¿Cómo conseguiré aprender a amar y aceptar a mi alma gemela?

Respuesta: As de Espadas. Josey tiene que aprender primero a amarse y aceptarse a sí misma. El entendimiento de la propia personalidad debe constituir su lección inicial y modificará sus creencias. Si concentra la atención en su alma gemela, se olvidará de sí misma. Josey carece de confianza, ingrediente fundamental en una relación. Este naipe puede revelar una pérdida, lo que no representa un buen comienzo para una relación romántica.

Pregunta 10: ¿Qué cambios puedo llevar a cabo mientras espero a mi alma gemela?

Respuesta: Rey de Espadas. Debe emplear el discernimiento a la hora de decidir acerca de los cambios. Ha de abstenerse de una implicación emocional excesiva con su familia u otras relaciones. Será capaz de atraer a su alma gemela si mantiene su equilibrio y aprende a amarse y respetarse. Logrará realizar tales cambios a través de la alteración de sus creencias y vigilando las pautas de sus reflexiones.

Pregunta 11: ¿Resultado final?

Respuesta: Tres de Bastos. La visualización creativa es un método que podría emplear Josey para modificar su modo de pensar. Es muy creativa y construye su vida profesional y social. Ahora precisa buscar una orientación interior para planes futuros en los que se incluya su alma gemela. Nuevas ideas aportarán a Josey el éxito y la felicidad si consigue creer en sí misma.

Comentario: Josey es una Leo, signo del ego. Se decepciona cuando sus expectativas no van por el camino que ella pretende. Es muy creativa y trabaja en un empleo que le agrada. Padece dificultades familiares y depresiones por culpa de sus relaciones, pero tales problemas son oportunidades para el desarrollo y hemos de aceptar nuestras experiencias de una manera positiva.

Capítulo 9

Solo como diversión

En este capítulo aparecen cuatro tiradas; tres disponen de una muestra de lectura y la cuarta no la tiene. A todo el mundo encantará la Tirada de los deseos. ¿Quién no los tiene a millones? La «Lotería mágica» gozará de gran popularidad y podría funcionar muy bien con alguien que tuviera fe suficiente en el sistema.

Las tiradas son:

Tirada de los deseos
Sí o no
Tirada de la Lotería mágica
A lo largo de la semana

La tirada de «Sí o no» resulta obvia y solo requiere ocho cartas. En la de «A lo largo de la semana» hay siete, una para cada día. Si lees esa tirada el jueves, comienza la lectura en ese día y continúa durante la semana siguiente hasta haber cubierto los siete.

Ensaya todas y observa los resultados que logres. ¡Disfruta!

TIRADA DE LOS DESEOS

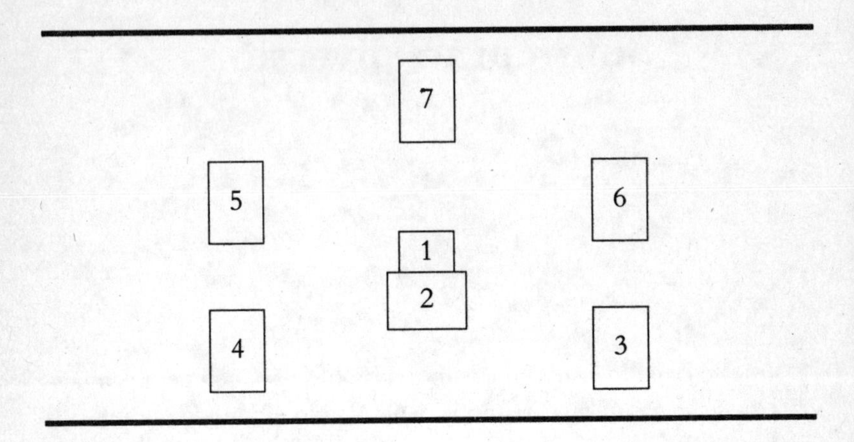

1. ¿Cuál es mi deseo?
2. ¿Estimo que merezco conseguirlo?
3. ¿Cuáles son las fuerzas que se oponen a mi deseo?
4. ¿Cuáles son las fuerzas que me ayudan a lograrlo?
5. ¿Debo realizar algunos cambios para que mi deseo se haga realidad?
6. ¿Me es verdaderamente beneficioso lo que deseo?
7. ¿Resultado?

Tirada de los deseos para Lorna

CARTAS EN LA TIRADA

1.ª posición	As de Oros (invertido)
2.ª posición	El Loco
3.ª posición	El Ahorcado
4.ª posición	Dos de Oros (invertido)
5.ª posición	El Emperador (invertido)
6.ª posición	Siete de Espadas
7.ª posición	El Sumo Sacerdote (invertido)

LECTURA

Pregunta 1: ¿Cuál es mi deseo?

Respuesta: As de Oros (invertido). Lorna participa en un programa de observación de su barrio y se siente muy desgraciada ante las circunstancias presentes. Considera que no habrá evoluciones en lo que atañe al problema y que este no desaparecerá. Juzga asimismo que el valor de las propiedades del barrio se halla afectado por la presencia de individuos indeseables en sus calles. Ha pensado en mudarse, pero esta carta advierte que «no habrá nuevos comienzos en lo que se refiere al dinero», perspectiva que torna ahora improbable su traslado a otro sector.

Pregunta 2: ¿Estimo que merezco conseguirlo?

Respuesta: El Loco. Lorna desea contar con otros participantes como ella misma, pero se trata de una vana esperanza. Merecería disfrutar de la ayuda de sus vecinos porque también ellos corren un riesgo. Su trabajo es de jornada completa y tiene además un hijo de catorce años que sumar a sus ocupaciones.

Pregunta 3: ¿Cuáles son las fuerzas que se oponen a mi deseo?

Respuesta: El Ahorcado. Estima que debe dedicar bastante tiempo a la vigilancia del área inmediata y a la asistencia a reuniones, pero advierte que los demás no hacen otro tanto. Está sacrificando su voluntad a los propósitos de otros y eso es origen de sus trastornos. Ha de mantener su equilibrio a través de la meditación y de la visualización creativa.

Pregunta 4: ¿Cuáles son las fuerzas que me ayudan a lograrlo?

Respuesta: Dos de Oros (invertido). Se siente deprimida porque le gustaría mudarse. Su situación económica no se lo permite por el momento. Lo que tiene que comprender es que debe abordar el problema en donde se encuentra y no llevárselo consigo si se traslada. Este naipe indica a una persona que no sabe atenerse a un presupuesto. O bien Lorna se comporta como una derrochadora o es su marido quien administra los ingresos. El dinero y la salud se equilibran mutuamente y todos nos beneficiamos de tal estabilidad.

Pregunta 5: ¿Debo realizar algunos cambios para que mi deseo se haga realidad?

Respuesta: El Emperador (invertido). No comprende que está hecha de la madera de quienes mandan, que es una figura de autoridad y portavoz de su barriada. Resulta natural que los demás deleguen en tal persona la realización de esa tarea. No debe permitir que el resentimiento, el miedo o una reflexión inmadura enturbien su visión. Tal vez una reunión y la convocatoria de unas elecciones estimularían a sus vecinos a asumir un papel más relevante en el programa de observación.

Pregunta 6: ¿Me es verdaderamente beneficioso lo que deseo?

Respuesta: Siete de Espadas. Este naipe señala la vía hacia la reflexión y el control mental. Alude a los problemas y dificultades que crea para sí la propia Lorna y que son temporales. Han robado dos veces en su casa y ella se siente intranquila cada vez que se ausenta. Su sistema de creencias influye en sus experiencias, pero le repugna aceptar la responsabilidad de los acontecimientos. Es capaz de ser la portavoz del programa de observación, mas la decisión solo a ella corresponde. De permanecer en el seno del grupo, seguiría enterada de lo que suceda si eso fuera lo que más le conviene.

Pregunta 7: ¿Resultado?

Respuesta: El Sumo Sacerdote (invertido). No cree en una fuente interior. Es Cáncer y desea seguridad, firmeza y sobrevivir. Se trata de una visión materialista y que rara vez satisface al alma. La meditación y la visualización creativa podrían ser la respuesta a sus oraciones tan solo con que lo intentase.

Comentario: Lorna es una psicóloga escolar y, amén de su trabajo, cuenta con un marido, un hijo y una casa grande a los que atender. Acaso pugne por mudarse, aunque le gusta su hogar. La mayoría de sus amistades residen en una zona diferente. ¡Tal vez este factor constituya la clave más importante de todas! Hay cuatro Arcanos Mayores en esta tirada, lo que puede indicar que en el momento actual cuatro personas desempeñan papeles importantes en la vida de Lorna. ¡Con fe, quizá pueda lograr su deseo y mudarse!

Tirada de los deseos para Fred

CARTAS EN LA TIRADA

1.ª posición	Cuatro de Copas
2.ª posición	Dos de Bastos
3.ª posición	La Luna
4.ª posición	As de Copas (invertido)
5.ª posición	Tres de Copas (invertido)
6.ª posición	Siete de Copas
7.ª posición	Siete de Bastos

LECTURA

Pregunta 1: ¿Cuál es mi deseo?

Respuesta: Cuatro de copas. Fred conoce su capacidad para amar y la necesidad de equilibrar sus emociones. Es un Escorpio, signo del agua, y muy vehemente. Su vida transcurre turbulenta entre la actividad profesional y su familia. Examinando las cartas de esta tirada, advertimos, por un lado, la concentración en el amor y en las necesidades emocionales y, por el otro, en su negocio. Fred anhela un equilibrio en todos los terrenos. Presenta una tendencia a aferrarse a experiencias pasadas y debe abandonarlas ahora para lograr su deseo.

Pregunta 2: ¿Estimo que merezco conseguirlo?

Respuesta: Dos de Bastos. Domina su trabajo y el modo de desenvolverse en la vida social. Tiene el mundo en sus manos. Es un empresario de éxito, y su esposa y su hermana participan también en el negocio. Considera que merece su buena fortuna y en todo momento pugna por conseguir un equilibrio.

Pregunta 3: ¿Cuáles son las fuerzas que se oponen a mi deseo?

Respuesta: La Luna. En un determinado nivel, Fred no se enfrentará con la verdad. Su esposa y su hermana compiten por su afecto y esa circunstancia está creando problemas. Necesita emplear sus capacidades psíquicas (signo del agua) para mantener la paz y la armonía entre esas dos mujeres. Es posible que se incline primero hacia un lado y luego hacia otro en razón de sus propias necesidades emocionales. La carta de La Luna alude asimismo a la madre de Fred. Él y su hermana la perdieron cuando eran muy pequeños. Ese fallecimiento creó entre los dos un lazo emocional que sería difícil romper. El triunfo constituye un objetivo al alcance de Fred.

Pregunta 4: ¿Cuáles son las fuerzas que me ayudan a lograrlo?

Respuesta: As de Copas (invertido). Es posible que se sienta un tanto inestable, pero no conocerá nuevas evoluciones en el terreno emocional. Acaso tampoco sea consciente de su progresivo agotamiento espiritual. Su empresa es cada vez más próspera, así que cuenta con fuerzas materiales que le ayuden a obtener la victoria.

Pregunta 5: ¿Debo realizar algunos cambios para que mi deseo se haga realidad?

Respuesta: Tres de copas (invertido). Este naipe nos dice que Fred no consigue ser feliz en el amor. Experimenta dificultades en sus relaciones y ese hecho es causa de un desgaste emotivo, una cierta depresión y un potencial para sufrir una pérdida. Tal vez se sienta solitario en razón de los problemas que determina su familia. El cambio inicial que podría acometer determinará que se sienta feliz y que se advierta satisfecho de tal condición. Las mujeres en su vida han de resolver sus problemas de celos y resentimiento sin su ayuda.

Pregunta 6: ¿Me es verdaderamente beneficioso lo que deseo?

Respuesta: Siete de Copas. Esta carta alude a una victoria en el amor. Si Fred mantiene su control mental, sobrevendrá el equilibrio que busca. Posee una excelente imaginación y ha encontrado el éxito gracias a su pensamiento creativo. Los triunfos conseguidos le han aportado un bienestar del que naturalmente se benefician su esposa y su hermana. Así que mientras que la empresa ha beneficiado a todos materialmente, no siempre les ha favorecido en el terreno emocional.

Pregunta 7: ¿Resultado?

Respuesta: Siete de Bastos. Fred debe emprender la vía mental, que se refiere al control, en sus actividades profesionales y sociales. La victoria y el equilibrio quedarán entonces asegurados en ambas direcciones.

Debe fiarse de su propio criterio pero no actuar de un modo egoísta ni considerarse superior. ¡El éxito proseguirá y el equilibrio salvará la situación!

Comentario: Ha trabajado de firme para lograr el triunfo, y su esposa y su hermana contribuyeron a que lo lograse. Tal vez resulte conveniente que Fred tenga que viajar mucho en razón de su trabajo. Todo irá bien en tanto que cada uno complazca diversas necesidades de su ego. Reunidas, estas satisfacciones harán más dulce la victoria.

Tirada de los deseos para Ken

CARTAS EN LA TIRADA

1.ª posición	Tres de Oros
2.ª posición	Diez de Copas
3.ª posición	Reina de Espadas (invertida)
4.ª posición	Sota de Copas (invertida)
5.ª posición	Sota de Oros (invertida)
6.ª posición	Cinco de Bastos (invertido)
7.ª posición	Sota de Bastos

LECTURA

Pregunta 1: ¿Cuál es mi deseo?
Respuesta: Tres de Oros. Ken es abogado. Gana dinero porque destaca en su profesión. Se siente un maestro artífice y es muy creativo. Su deseo estriba en seguir siendo productivo y cuidar de las necesidades de su familia y de las propias.

Pregunta 2: ¿Estimo que merezco conseguirlo?
Respuesta: Diez de Copas. Experimenta ahora algún cambio en su amor y en su estado emocional. Este es su segundo matrimonio y tiene una nueva familia. Si existe alegría en el hogar, Ken se considera merecedor de su deseo. Los hijos de su primer matrimonio son ya adultos y capaces de hacer frente a sus propias necesidades.

Pregunta 3: ¿Cuáles son las fuerzas que se oponen a mi deseo?
Respuesta: Reina de Espadas (invertida). Esta reina padece problemas y dificultades, pero quizá no esté dispuesta a abordarlos. Ha estado casada, pero ahora se halla divorciada. Se trata de la hermana de Kent, que no quiere a la nueva esposa de este y trata de crear disensiones entre ellos. Ken intenta mantener un equilibrio respecto de estas dos mujeres, pero no siempre tiene éxito. En la cuestión no faltan los celos, porque la nueva esposa de Ken es mucho más joven que él. Por fortuna, Ken conoce bien a su hermana y sabe que le gusta manipular a quienes están a su alcance.

Pregunta 4: ¿Cuáles son las fuerzas que me ayudan a lograrlo?

Respuesta: Sota de Copas (invertida). Esta sota revela un desgaste emocional y numerosas decepciones. Ken tuvo tres vástagos de su primer matrimonio y el varón fue siempre difícil. Ahora cuenta con otro chico de esta segunda unión, encantador y todavía muy pequeño. Ese niño puede ser la fuerza que esté actuando en favor de Ken para ayudarle a lograr su deseo.

Pregunta 5: ¿Debo realizar algunos cambios para que mi deseo se haga realidad?

Respuesta: Sota de Oros (invertida). Esta sota no se interesa por lograr una instrucción, fijarse unos objetivos o aprender a ganar dinero para ser independiente. Quizá aluda al varón mayor, que gusta de la vida fácil, le repugna la autoridad y ha estado enredado con drogas. Los cambios que debe llevar a cabo Ken conciernen a ese chico. Tal vez se sienta rechazado por él, puesto que era muy pequeño cuando se divorciaron sus padres. Si muestra amor a ese hijo, Ken conseguirá quizá crear los cambios que requiere para lograr su deseo y ayudar también al joven.

Pregunta 6: ¿Me es verdaderamente beneficioso lo que deseo?

Respuesta: Cinco de Bastos (invertido). Ken considera que ha sido muy afortunado en la vida. Ahora no parece tan seguro de sí mismo y teme que su relación no seguirá siendo tan feliz como ha sido. Se han modificado sus ideas acerca del trabajo y de la vida social, y sus creencias tampoco son las que fueron. Su anhelo de un éxito económico es positivo y, si consolida la prosperidad, no deberán cambiar sus circunstancias. Su salud ha sido buena y así permanecerá a condición de que mantenga una perspectiva positiva.

Pregunta 7: ¿Resultado?

Respuesta: Sota de Bastos. Esta sota se halla dispuesta a experimentar el trabajo y las actividades sociales. Es obstinada, desea libertad y se revela independiente. Ken afirma que describe a una de sus hijas, de la que se siente muy orgulloso. Su otra hija se ha desarrollado asimismo bien. Ken comprende que tiene ahora otra oportunidad con su hijo menor y espera desempeñar esta vez un mejor papel.

Comentario: Resulta difícil acometer la crianza de un hijo cuando uno ha pasado de los cincuenta. Muchas personas optan por crear una segunda familia como medio de conservar una mentalidad joven. Ken quiere a todos sus hijos, pero no siempre está allí para atender a sus necesidades. Cuando padres e hijos poseen altas expectativas unos respecto de otros, preparan el terreno para los desengaños. Todo lo que una persona puede hacer es tratar de comportarse de la mejor manera posible, y eso es lo que Ken cree que está haciendo.

SÍ O NO

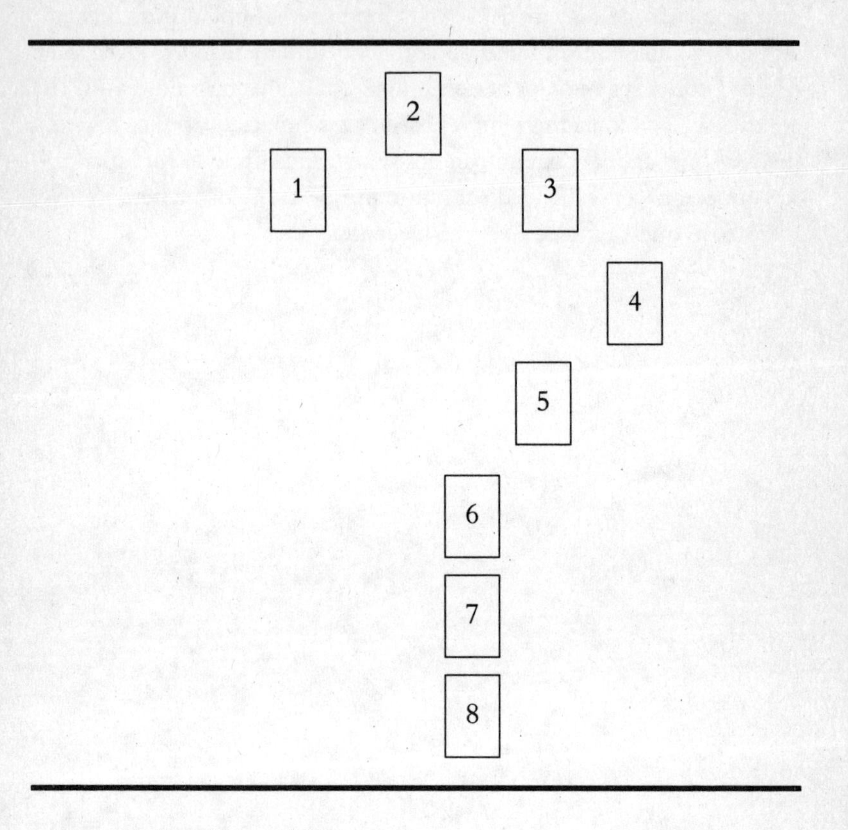

1. ¿Cuál es la cuestión?
2. ¿Cómo te afecta?
3. ¿Obstáculos que superar?
4. ¿Experiencias pasadas relativas a la cuestión?
5. ¿Pensamientos presentes respecto de la cuestión?
6. ¿Qué sucederá en el futuro?
7. ¿Necesitaré asistencia profesional?
8. ¿Resultado? (¿Afectará este problema a mi situación económica?)

Sí o no para Polly

CARTAS EN LA TIRADA

1.ª posición	Nueve de Copas
2.ª posición	Cinco de Bastos
3.ª posición	El Sumo Sacerdote (invertido)
4.ª posición	La Rueda de la Fortuna (invertida)
5.ª posición	Cuatro de Espadas
6.ª posición	Siete de Oros
7.ª posición	Reina de Bastos
8.ª posición	La Suma Sacerdotisa

LECTURA

Pregunta 1: ¿Cuál es la cuestión?

Respuesta: Nueve de Copas. Esta es la carta de los deseos y se halla del derecho, lo que indica que Polly conseguirá aquello que pretende. También muestra que ha ganado en sabiduría a través de sus experiencias. Se basa en su maestro interior (El Ermitaño) y se halla guiada por la Luz. La cuestión se refiere a asociarse con una amiga. Polly ha tratado varias veces de trabajar de consuno con mujeres, pero nunca ha tenido éxito. Comprende que este problema emana de la relación con su madre. Necesita la asociación con un hombre e incluso así tal vez tampoco funcione.

Pregunta 2: ¿Cómo te afecta?

Respuesta: Cinco de Bastos. Cada una por su parte, Polly y su amiga desean imponer en esta empresa su estilo personal de actuar. Una y otra juzgan que la suya es la manera indicada de proceder tanto profesional como socialmente. Esta concentración en el ego podría ser causa de problemas. A cada paso descubre defectos en su amiga, lo que no constituye una buena señal.

Pregunta 3: ¿Obstáculos que superar?

Respuesta: El Sumo Sacerdote (invertido). Polly no desea seguir en el empeño ninguna norma ni regulación. Es una rebelde y pretende hacer las cosas a su manera. Con semejante actitud tal vez alce obstáculos en su propio camino. Polly aspira a controlar todos los aspectos de la empresa y puede, por tanto, que no sea recomendable su asociación con alguien.

Pregunta 4: ¿Experiencias pasadas relativas a la cuestión?

Respuesta: La Rueda de la Fortuna (invertida). Polly no debería correr un albur ni depender de la suerte en esa empresa. Considera que todos los socios que conoció en el pasado se aprovecharon de ella. Todavía cree que atraerá a alguien que repita la pauta. Con esta opinión no debería operar con un socio de ningún tipo.

Pregunta 5: ¿Pensamientos presentes respecto de la cuestión?

Respuesta: Cuatro de Espadas. Debe comprender que tiene que detenerse a meditar sobre sus problemas. Necesita lograr un equilibrio y entender que da lugar a sus propias experiencias. Le impulsa su ego y ha de reconocer ese hecho. Existe también un factor de celos en las espadas que cuelgan sobre la figura, ella misma está creando sus dificultades.

Pregunta 6: ¿Qué sucederá en el futuro?

Respuesta: Siete de Oros. La vía mental hacia el dinero. Muestra que Polly puede conseguirlo y que deberá tomar decisiones sobre el destino de tales fondos. El ego de Polly constituyó un problema en el pasado. Es posible que el dinero sobrevenga repentinamente y ella ha de estar preparada.

Pregunta 7: ¿Necesitaré asistencia profesional?

Respuesta: Reina de Bastos. Desea hacer todo por sí misma. Debe dotar de un asesoramiento legal a su nueva empresa si desea protección para sí misma y para su producción. Esta carta alude al ego en el trabajo y en la vida social. Polly pretende ser una estrella y suscitar admiración y alabanzas. ¡Tendrá que obrar con cautela si este naipe representa a la persona con la que se asocie!

Pregunta 8: ¿Resultado? (¿Afectará este problema a mi situación económica?)

Respuesta: La Suma Sacerdotisa. La Suma Sacerdotisa afirma saber. Esta carta indica que Polly guarda dentro de sí la respuesta a su pregunta.

Es inteligente y su éxito estará asegurado con tal de que no permita que sus necesidades respecto del dinero o del ego se interpongan en su camino.

Comentario: A Polly le gustaría cambiar de ocupación. Su nueva empresa parece prometedora y podría convertirla en una triunfadora. Ha de atenerse a las normas legales, aunque sea una rebelde. Su futuro se presenta brillante.

Sí o no para Darla

CARTAS EN LA TIRADA

1.ª posición	Cuatro de Oros (invertido)
2.ª posición	Ocho de Oros (invertido)
3.ª posición	El Carro (invertido)
4.ª posición	Cinco de Oros
5.ª posición	Siete de Copas (invertido)
6.ª posición	Diez de Oros (invertido)
7.ª posición	Seis de Espadas (invertido)
8.ª posición	La Justicia

LECTURA

Pregunta 1: ¿Cuál es la cuestión?

Respuesta: Cuatro de Oros (invertido). Existe una ausencia de equilibrio en la actitud mental de Darla. Aunque no sea codiciosa, su sentido del dinero se halla también desequilibrado. Sus reflexiones tienen una base materialista y no son singularmente espirituales. La pregunta concierne a su empleo y, llegado el mes de septiembre, seguirá trabajando en el mismo sitio.

Pregunta 2: ¿Cómo te afecta?

Respuesta: Ocho de Oros (invertido). Darla considera que trabaja con personas falsas y mentirosas y experimenta dentro de sí una falta de fortaleza para relacionarse con tales individuos. Trata de poner en mejor estado su situación económica y en consecuencia necesita ese empleo. Existe además la posibilidad de que surjan problemas de la salud a causa del abatimiento, pero Darla es una Escorpio fuerte y muy capaz de afirmarse en la mayoría de las circunstancias.

Pregunta 3: ¿Obstáculos que superar?

Respuesta: El Carro (invertido). Este naipe alude a la vía espiritual. Darla considera que no ejerce un control de sus deseos ni de sus finanzas. Tal vez no sea consciente de su fuente interior que está allí para guiarla con tal de que tenga fe en su existencia. Quizá no se sienta segura o atendida en esta época.

Pregunta 4: ¿Experiencias pasadas relativas a la cuestión?

Respuesta: Cinco de Oros. Creía en el dinero y lo convirtió en su dios. Esta es una idea demoledora y que no revela una perspectiva de prosperidad. Pero ha dejado atrás esa opinión tras aprender por experiencia que es insana. Darla destaca en lo que hace y no tiene por qué temer la pérdida de su empleo.

Pregunta 5: ¿Pensamientos presentes respecto de la cuestión?

Respuesta: Siete de Copas (invertido). Sufre un agotamiento emocional por obra de un conflicto que se desarrolló en su trabajo. Si fuese capaz de visualizarse creativamente comenzando en septiembre el nuevo semestre, tal vez se advertiría más segura y firme en sus tareas docentes.

Pregunta 6: ¿Qué sucederá en el futuro?

Respuesta: Diez de Oros (invertido). En el sector económico no hay cambios para Darla. Trabaja y entiende que debe refrenar sus deseos y hacer frente a sus gastos. Tal vez así experimente algún alivio y deje de inquietarse por el futuro.

Pregunta 7: ¿Necesitaré asistencia profesional?

Respuesta: Seis de Espadas (invertido). Acaso necesite recurrir a un abogado, pero no en este momento. En las circunstancias presentes no elige bien y ha de enfrentarse con sus problemas. Debe asimismo utilizar la inteligencia para analizar sus dificultades y trastornos y no dejar que sean otros los que tomen por ella las decisiones.

Pregunta 8: ¿Resultado? (¿Afectará este problema a mi situación económica?)

Respuesta: La Justicia. Sí, podría afectar a su situación financiera. Es posible que requiera un asesoramiento legal (la balanza de la Justicia) o simplemente ser tratada de un modo razonable. Si se plantea un pleito, es probable que lo gane.

Comentario: La tirada de Darla presenta cuatro naipes de oros, lo que muestra que el dinero es un factor fundamental en su vida. Aparecen además muchas cartas del revés. No todas son negativas, pero tantas en una tirada la prestan ese carácter. Darla debe modificar algunas de sus opiniones con objeto de cambiar su vida. La meditación ayuda a desembarazarse de los hábitos negativos, y Darla se beneficiaría considerablemente de su práctica.

TIRADA DE LA LOTERÍA MÁGICA

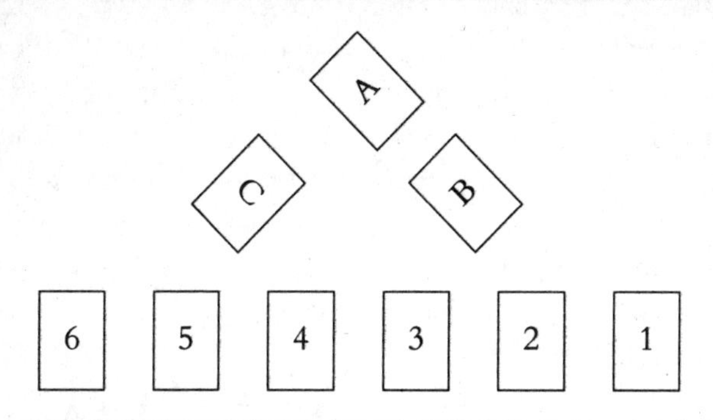

A) ¿Es este un buen día para comprar un billete de lotería?
B) ¿Obstáculos que superar?
C) Actitud mental del interrogador respecto de que le toque la lotería.

Del 1 al 6: Estas cartas proporcionan los números que jugar en la lotería.

EMPLEO DE ESTA TIRADA

Utilizarás solo las veintidós cartas de los Arcanos Mayores. Barájalas tras haberlas separado del resto. Pon una carta descubierta en la posición A, otra en la B y una tercera en la C. Si un naipe aparece invertido, léelo de esa manera. Cuando las cartas sean negativas, concluye la lectura en ese momento y prueba otro día. Si las cartas son positivas, prosigue con la lectura.

Luego, en los recuadros del 1 al 6, coloca tres cartas descubiertas en cada posición. Serán los números de la lotería. Quedará un naipe y lo leerás al final de la sesión.

Tras haber leído las cartas en A, B y C, estás ya preparado para empezar con el recuadro 1. Destina tres naipes a esa posición y suma sus cifras. No reduzcas el valor numérico de ningún naipe. Si el total supera al límite de la lotería, interrumpe la lectura y prueba otro día.

Ejemplo: El recuadro 1 puede contener La Luna, El Sumo Sacerdote y La Justicia.

La Luna	18
El Sumo Sacerdote	5
La Justicia	11
	34

El total de este recuadro será 34, que se halla dentro de la gama numérica de la lotería.

Coloca tres cartas en el recuadro 2 y súmalas de la misma manera. Repite la operación en el resto de los recuadros, sumando cada uno por separado. Cuando hayas concluido, dispondrás de un total para cada uno de los seis recuadros. Descubre después la última carta para obtener el mensaje final.

La aplicación del último naipe es de tu incumbencia. Si es una carta de número bajo —El Mago (1) o La Sacerdotisa (2)—, tal vez desees que sustituya a una de las seis cifras obtenidas mediante las sumas de Arcanos Mayores en los seis grupos de lectura. Como ya has sumado los valores de los números en esos grupos, resulta imposible jugar con el 1 o con el 2 utilizando simplemente esas cifras.

Si los totales en cada uno de los seis recuadros se encuentran dentro de los límites de la lotería, ve a comprar el décimo correspondiente. No demores tu petición. ¡Hazla ahora mismo!

Recuerda que cuando las cartas se hallan en los recuadros del 1 al 6 pueden estar del derecho o del revés. Las de los recuadros A, B y C han de ser leídas tal como aparezcan, del derecho o del revés.

La lotería mágica para Arlene

CARTAS EN LA TIRADA

1.ª posición	El Diablo (invertido)	
2.ª posición	El Sol (invertido)	
3.ª posición	El Loco (invertido)	
Recuadro 1	La Rueda de la Fortuna	10
	La Muerte	13
	La Sacerdotisa	2
Recuadro 2	La Torre	16
	El Juicio	20
	El Carro	7
Recuadro 3	El Mago	1
	El Sumo Sacerdote	5
	El Mundo	21
Recuadro 4	El Ahorcado	12
	La Emperatriz	3
	El Emperador	4
Recuadro 5	Los Enamorados	6
	La Templanza	14
	La Luna	18
Recuadro 6	El Ermitaño	9
	La Estrella	17
	La Justicia	11
Última carta	Fuerza	8

LECTURA

Pregunta 1: ¿Es este un buen día para comprar un billete de lotería?
Respuesta: El Diablo (invertido). Arlene no codicia posesiones materiales ni es tan egoísta como otras personas, pero en su pensamiento existe un bloqueo que la empuja a rechazar las mejores cosas de la vida.

Pregunta 2: ¿Obstáculos que superar?
Respuesta: El Sol (invertido). Carece de valor o de seguridad en sí misma. Debe aprender a ser abierta y sincera con otros y así logrará con-

fianza y respeto. Pone demasiado énfasis en el aspecto sexual de su existencia. Es hora ya de superar antiguos hábitos mentales y de que aprenda a amarse a sí misma.

Pregunta 3: Actitud mental de la interrogadora respecto de que le toque la lotería.

Respuesta: El Loco (invertido). Con semejante actitud mental Arlene está saboteando sus deseos. Ha de equilibrar sus acciones, placeres, necesidades sexuales y egoísmo, teniendo fe en sí misma. ¿Cómo va a conseguir que le toque la lotería si no cree merecerlo?

Recuadro 1. Total — 25
Recuadro 2. Total — 43
Recuadro 3. Total — 27
Recuadro 4. Total — 19
Recuadro 5. Total — 38
Recuadro 6. Total — 37

Como la última carta de la lectura de Arlene era La Fuerza, con un valor numerológico de 8, tal cifra fue desechada y jugó seis números de los recuadros. Pero indica que posee el vigor necesario para superar todos los obstáculos y cambiar su vida de manera que mejore.

Arlene adquirió un billete el sábado. La lectura fue practicada el jueves. No obtuvo ningún premio.

Comentario: Adquiere un billete el día que obtengas una tirada positiva. ¡Y buena suerte!

A LO LARGO DE LA SEMANA

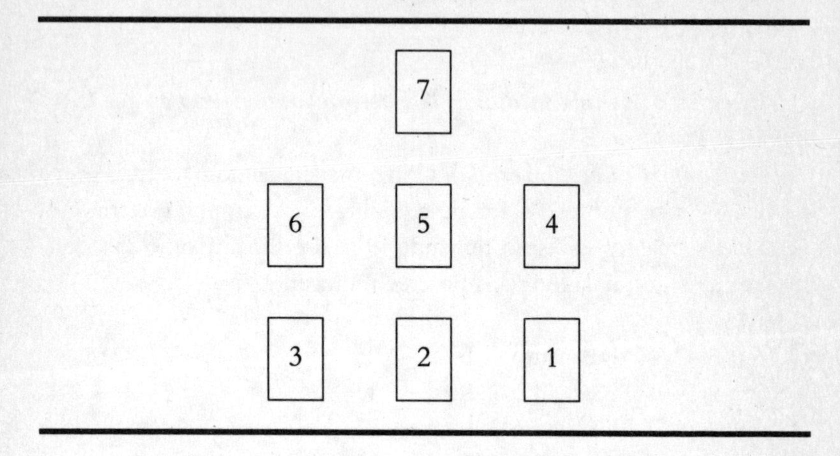

1. ¿Qué nuevos planes puedo hacer para este día?
2. ¿Incluirán mis proyectos a otra persona?
3. ¿Disfrutaré de este día? (¿Viaje o creatividad?)
4. ¿Realizaré hoy un buen trabajo y será productivo?
5. ¿Qué cambios o nuevas experiencias hallaré hoy?
6. ¿En qué nuevas responsabilidades o cuestiones de la familia me veré implicado en esta jornada?
7. ¿Será un día de descanso o de actividad mental?

Cuadro de las tiradas del Tarot

NOMBRE DE LA TIRADA ____________________

1.ª carta ____________ palabras claves ____________

2.ª carta ____________ palabras claves ____________

3.ª carta ____________ palabras claves ____________

4.ª carta ____________ palabras claves ____________

5.ª carta ____________ palabras claves ____________

6.ª carta ____________ palabras claves ____________

7.ª carta ____________ palabras claves ____________

8.ª carta ____________ palabras claves ____________

9.ª carta ____________ palabras claves ____________

10.ª carta ____________ palabras claves ____________

11.ª carta ____________ palabras claves ____________

12.ª carta ____________ palabras claves ____________

13.ª carta ____________ palabras claves ____________

14.ª carta ____________ palabras claves ____________

15.ª carta ____________ palabras claves ____________

INFLUENCIAS EXTERIORES

Arcanos Mayores ____________________

Cartas de la Corte ____________________

Total combinado ____________________
(personas implicadas)

ELEMENTOS

Bastos	____________	Fuego	____________
Copas	____________	Agua	____________
Oros	____________	Tierra	____________
Espadas	____________	Aire	____________

NAIPES REPETIDOS

1 _____ 3 _____ 5 _____ 7 _____ 9 _____

2 _____ 4 _____ 6 _____ 8 _____ 10 _____

SIGNOS REPETIDOS

Aries	_____	Leo	_____	Sagitario	_____
Tauro	_____	Virgo	_____	Capricornio	_____
Géminis	_____	Libra	_____	Acuario	_____
Cáncer	_____	Escorpio	_____	Piscis	_____

Cuadro de las tiradas del Tarot

NOMBRE DE LA TIRADA ____________________

1.ª carta ____________ palabras claves ____________

2.ª carta ____________ palabras claves ____________

3.ª carta ____________ palabras claves ____________

4.ª carta ____________ palabras claves ____________

5.ª carta ____________ palabras claves ____________

6.ª carta ____________ palabras claves ____________

7.ª carta ____________ palabras claves ____________

8.ª carta ____________ palabras claves ____________

9.ª carta ____________ palabras claves ____________

10.ª carta ____________ palabras claves ____________

11.ª carta ____________ palabras claves ____________

12.ª carta ____________ palabras claves ____________

13.ª carta ____________ palabras claves ____________

14.ª carta ____________ palabras claves ____________

15.ª carta ____________ palabras claves ____________

INFLUENCIAS EXTERIORES

Arcanos Mayores ____________________

Cartas de la Corte ____________________

Total combinado ____________________
(personas implicadas)

ELEMENTOS

Bastos	____________	Fuego	____________
Copas	____________	Agua	____________
Oros	____________	Tierra	____________
Espadas	____________	Aire	____________

NAIPES REPETIDOS

1 _____ 3 _____ 5 _____ 7 _____ 9 _____

2 _____ 4 _____ 6 _____ 8 _____ 10 _____

SIGNOS REPETIDOS

Aries	_____	Leo	_____	Sagitario	_____
Tauro	_____	Virgo	_____	Capricornio	_____
Géminis	_____	Libra	_____	Acuario	_____
Cáncer	_____	Escorpio	_____	Piscis	_____